D1315356

SÉRÉNITÉ

Du même auteur

Le voyage intérieur (1979)
Les voies du possible (1981)
L'homme qui commence (1981)
Un torrent de silence (1985)
L'homme inchangé (1986)
La grande rencontre (1987)
La tendresse de Léonard (1988)
Servir la vie (1995)
Je n'ai droit à rien (1996)

Collection «Mes Réponses»

Pensées pour les jours ordinaires (1986)
Une voie qui coule comme l'eau (1986)
Messages pour le vrai monde (1987)
Paroles pour le cœur (1987)
Rentrer chez soi (1988)
Les chemins de l'amour (1989)
Le grand congé (1990)
Le karma de nos vies (1990)
Vivre imparfait (1993)

Collection Mortagne Poche

Le voyage intérieur (1992)
Une voie qui coule comme l'eau (1993)
Le karma de nos vies (1993)
Paroles pour le cœur (1993)
Une religion sans murs (1994)

Placide Gaboury

SÉRÉNITÉ

**Entretiens
sur les 12 étapes des A. A.**

Collection «Mes Réponses»

Données de catalogage avant publication (Canada)
Gaboury, Placide, 1928-
  Sérénité
  (Mes réponses)
  ISBN 2-89074-843-X
  1. Programmes à douze étapes - Aspect religieux. 2.
Vie spirituelle. 3. Dépendance (Psychologie). 4.
Autonomie (Psychologie) - Aspect religieux. I. Titre.
II. Collection: Gaboury, Placide, 1928-   . Collection
Mes réponses
BL624.5.G32 1996   291.1'78322   C96-940032-2

Édition
Les Éditions de Mortagne
Case postale 116
Boucherville (Québec)
J4B 5E6

Distribution
Tél.: (450) 641-2387
Télec.: (450) 655-6092

Tous droits réservés
Les Éditions de Mortagne
© Copyright Ottawa 1996

Dépôt légal
Bibliothèque nationale du Canada
Bibliothèque nationale du Québec
Bibliothèque Nationale de France
1er trimestre 1996

ISBN: 2-89074-843-X

2 3 4 5 6 – 96 – 02 01 00 99 98

Imprimé au Canada

INTRODUCTION

Suivre les douze étapes, c'est apprendre à vivre sa vie sur une nouvelle base; non plus sur la base du petit Moi égoïste, mais sur la base de la Grâce de Dieu. C'est une entreprise nettement spirituelle; je dirais même que cela n'est réalisable que dans la perspective où c'est désormais Dieu qui prend les guides et qui conduit notre vie de A à Z.

Sur les douze étapes, il y en a huit qui parlent clairement d'une conscience spirituelle, c'est-à-dire d'une attitude de reddition, d'une reconnaissance : si nous sommes impuissants, il y a cependant quelque chose qui est puissant, qui est seul à être puissant et c'est à cela qu'on se voue entièrement, à quoi on se rend complètement, à Celui-là qu'on s'abandonne corps et âme.

Les huit étapes qui traitent explicitement de la dimension spirituelle sont les suivantes : les n°s 1, 2, 3, 5, 6, 7, 11 et 12. Chacune des étapes ne mentionne pas forcément Dieu comme tel, mais elle y fait clairement allusion. Elles renvoient toutes à une condition essentielle : l'humilité, qui est la base de toute transformation en profondeur, de toute naissance nouvelle.

L'essentiel du message des A. A. est donc résolument spirituel. En fait, il est orienté spirituellement dès la première étape; une orientation qui s'achève dans la onzième étape, la douzième n'étant que sa conséquence naturelle.

Ce qui apparaît comme le plus important, selon les créateurs de cette école de transformation qui s'appelle les

A. A. et de leur *vade-mecum* que sont les douze étapes, c'est la conviction **fondamentale** et **radicale** que l'on est impuissant, faible et incapable de trouver son bonheur et sa paix au moyen de ses propres forces.

Tout d'abord, cette conviction est **fondamentale.** Cela veut dire que la base de toute transformation libératrice c'est un acte d'humilité, que l'humilité est une condition pour qu'il y ait la foi et que les deux ensemble, humilité et foi, constituent une condition essentielle pour être libéré ou, dans le langage utilisé par les A. A., pour atteindre la sérénité.

Ensuite, la conviction d'impuissance doit être **radicale.** Cela signifie que c'est la racine de la nouvelle plante, de la vie renaissante, de la conscience transformée. Le changement ne viendra pas de nos efforts : il se fera en nous par une autre Puissance. Cette conviction est également radicale parce qu'elle nous engage de fond en comble, des pieds à la tête, du corps à l'esprit. Si c'est une conviction purement intellectuelle au lieu d'être une conviction du cœur, rien de sérieux ni de profond ne pourra se faire.

J'ai parlé de ceux qui ont créé le Mouvement des A. A., mais, en réalité, ce ne sont même pas eux qui ont fait cela, pas plus que ce sont eux-mêmes qui se sont relevés de leur déchéance lorsqu'ils ont reconnu leur alcoolisme. Il y a un malentendu constant chez l'être humain, un état d'illusion qui est à la source de tous ses malheurs et de toutes ses souffrances. C'est l'illusion de se croire «maître de sa vie», d'être «au contrôle», d'être superman, d'être celui qui fait tout et que, s'il réussit quelque chose, c'est grâce à lui et à lui seul, à son génie, son intelligence, sa débrouillardise, son caractère. C'est l'illusion de se croire le centre du monde, d'être Dieu.

Mais ce que l'on oublie constamment, ce qu'on a appris à oublier jusqu'à en faire une habitude si bien ancrée qu'elle est devenue invisible, c'est qu'on est **radicalement et invinciblement impuissant par nous-mêmes,** que c'est justement notre état, aussi longtemps qu'on se croit puissant et contrôleur. Tant et aussi longtemps que l'on est convaincu d'être quelqu'un – d'avoir un Moi qui est le centre de tout, qui s'approprie tout, qui se sert de tout pour se faire aimer, admirer, pour se valoriser, pour se faire adorer comme si on était Dieu –, on restera emprisonné dans sa souffrance.

Curieusement, on ne parle pas du Moi dans le texte des douze étapes, sauf ici ou là dans les commentaires. Peut-être est-ce dû au fait que tout est au pluriel : nous, nous-mêmes, nos torts, etc. Ce «nous» veut sans doute créer un sentiment d'appartenance, de cause commune, de fraternité et faire sentir qu'on n'est pas seul dans cette aventure de mort et de renaissance. Mais, en même temps, cela masque le fait que, si la fraternité existe avant qu'on y entre, c'est toujours un **individu** qui doit s'avouer vaincu, s'abandonner à la Force divine et se reconnaître tel qu'il est. L'éveil n'est jamais un phénomène de groupe et un groupe ne peut non plus éveiller quelqu'un et le transformer. Le groupe peut cependant soutenir l'individu et favoriser sa prise de conscience, mu par la conviction que sa libération complète est possible, mais cette libération demeure toujours une chose qui se passe entre Dieu et le cœur de chacun.

L'existence, la persistance, l'entêtement du Moi sont tels qu'il faut souvent un choc profond, une secousse terrible, un coup de masse, un échec total pour voir que c'est le Moi qui a bâti sa prison, qui a créé son enfer. Rien de moins qu'un désespoir, une situation de faiblesse totale, une sensation d'abîme sans fond, un sentiment de peur panique (panique veut dire une peur qui envahit tout) pour secouer ce **château fort** construit par nos illusions et qui se révèle, en fin de compte, un **château de cartes** dès qu'on a accepté qu'on n'était rien, qu'on n'était que cendres, impuissance, incapacité.

Il ne faudrait pas commettre l'erreur de croire que, parce que plusieurs étapes parlent d'une volonté de se reprendre, de se changer (nous avons «courageusement **procédé**» [4e], «**dressé** une liste», «**consenti** à» [8e], «**réparé**» [9e], «**poursuivi...**» [10e]), le Moi a, pour autant, repris sa place et que c'est **Moi** qui vais faire tout cela comme si on reprenait un emploi délaissé après une absence! Ce serait retomber dans la condition même qui nous a précipités dans l'abîme. En effet, on le répète avec insistance dans les étapes qui ont une connotation spirituelle : ce n'est pas à Moi que revient ni le moment de la grande secousse, ni la capacité de me relever ou le pouvoir de me transformer. Je ne peux pas davantage me donner une nouvelle naissance que je n'ai pu de moi-même me donner une première naissance!

On dit, dans les étapes 1, 2, 3, 5 et 11, que seul le recours à Dieu, le Secours de Dieu, la Force de Dieu peuvent faire quelque chose et que, du début à la fin, c'est Son œuvre : «nous avons **décidé** de confier notre volonté et nos vies aux soins de Dieu» [3e], «**avoué** à Dieu... nos torts» [5e], «**consenti** à ce que Dieu élimine...», «**humblement demandé**» [7e], «**cherché** par la prière et la méditation» [11e], «**connu** un éveil spirituel» [12e]. Plus on avance, plus on cède la place à Dieu. Plus on avance, plus la Force de Dieu remplace la faiblesse de l'Homme. En effet, les verbes utilisés dans ces étapes indiquent une montée, une croissance : «décidé, consenti, humblement demandé, cherché, connu»; au début, c'est encore nous qui voulons agir, mais plus ça va, moins c'est nous qui agissons. C'est une croissance dans l'abandon et la confiance, dans la foi.

Depuis le début, tout est déjà là. Et à chaque instant de notre vie, tout a été, tout est Grâce, tout est Action de Dieu. Rien ne se fait de bon et de valable que par Son initiative, Sa suggestion, Son soutien et les moyens qu'Il met à notre disposition (groupes, conseils, encouragements, lectures, rencontres). Mais, à force d'habitude, on est si facilement porté à se croire important et à vouloir reprendre le contrôle; on est tellement porté à oublier que **le commencement, le milieu et la fin de nos vies sont**

entièrement entre les mains de Dieu que, malgré nous, par la force de l'habitude, on reprend le collier pour se libérer par nos propres forces, pour faire tout ce que l'on peut pour être heureux (par nos propres forces)!

Comme le disait saint Paul: *en Lui nous avons la vie, le mouvement et l'être.* Ce qui, traduit en langage moderne, veut dire qu'on est en vie seulement parce que c'est Lui qui nous y tient, qu'on ne peut agir que par l'Énergie qu'Il insuffle à nos muscles ainsi qu'à nos facultés et que tout ce qui constitue notre existence individuelle, toute notre personnalité, les talents et les rôles tenus, tout cela est constamment et absolument entre Ses mains, **maintenu** par Lui et **voulu** par Lui. Cela ne change pas du fait qu'on l'aurait oublié, pas plus que la respiration ne s'arrête parce qu'on n'y pense plus. Si on oublie que c'est Dieu qui fait tout, si l'on croit qu'on tient le gouvernail, on retombe tout simplement dans les prises du Moi, dans la prison qu'on se crée soi-même et dont Dieu seul peut nous tirer dès qu'on reconnaît justement qu'on est en prison. Et comme on le sait très bien, on peut retomber plusieurs fois dans le «Vieux Pen» avant de comprendre.

Tout ancien alcoolique actif qui entre dans l'abstinence comprendra très bien ce grand message du Psaume 127 :

Si l'Éternel ne bâtit la maison, ceux qui la bâtissent travaillent en vain.
Si l'Éternel ne garde la ville, celui qui la garde veille en vain.
En vain, vous vous levez tôt et vous vous couchez tard,
En vain, vous souffrez :
l'Éternel en donne autant à ses bien-aimés pendant leur sommeil!

Nous ne sommes pas importants. Je ne dis pas qu'il y a des gens plus importants et d'autres qui le sont moins ou pas du tout. Je dis que personne n'est important, pas plus le pape, l'empereur, le Premier Ministre, les milliardaires, les stars ou les champions. Personne.

Qu'est-ce que la vie humaine? demandait Crowfood, un sage Amérindien : *un éclair de luciole dans la nuit; le souffle d'un bison en hiver; la petite ombre qui court à travers l'herbe et se perd dans le couchant.* On s'agite un peu, on se prend au sérieux un instant et on passe. Seule, la Présence silencieuse demeure.

LEÇON 1
première étape

Nous avons admis que nous étions impuissants devant l'alcool, que nous avions perdu la maîtrise de nos vies.

Comme je l'ai dit dans l'introduction, le fondement de toute vie spirituelle est un acte d'humilité. Cette humilité suit toujours une humiliation, un écrasement, un échec, un sentiment d'impuissance complète, peut-être même de désespoir insoutenable.

La vie spirituelle est fondée sur un FAIT : je ne suis rien, Dieu est tout; je ne puis rien, Dieu peut tout. Ce fait est exprimé par les mots «admis que nous étions impuissants». Bien sûr, le texte ajoute aussi «devant l'alcool», mais je m'arrête avant pour montrer que l'on n'est pas simplement impuissant devant l'alcool, mais devant tout ce qui échappe à notre contrôle, notre volonté, notre désir ou nos prétentions.

L'impuissance est l'état du petit Moi égoïste. Et comme ce petit Moi s'arrange pour ne pas se reconnaître, il ne peut jamais voir qu'il n'est rien. C'est un écran, un paravent, un mur que l'on entretient pour n'avoir pas à reconnaître le vide du Moi, pour n'avoir pas à reconnaître que ce Moi n'a pas plus d'existence qu'un mirage, un arc-en-ciel. Le Moi est même moins que cela, ce n'est qu'un concept, une idée comme «pays», «climat» ou «avenir», une chose qui existe dans le monde des idées, mais qui n'est pas incorporé dans la matière comme le seraient le corps, la terre, la table.

Le Moi est inventé par la peur : la peur d'être seul et abandonné par la vie, par l'Univers, par les autres; la peur d'être indigne et incapable, la peur du mal et du désordre qui nous ronge, la peur d'aimer, de se perdre dans les autres, la peur de souffrir, de mourir, la peur de l'inconnu, la peur de Dieu.

On pourra quand même répliquer : «Tu veux dire que je ne peux rien faire seul? Pourtant je me lève, je parle, je travaille, je voyage, je pense!» Oui, bien sûr, mais tout ce qui constitue ta vie – c'est-à-dire ton organisme – est énergisé depuis le début, entretenu, vivifié par une Force, par un Élan qui est là avant toi et que tu ne peux, par conséquent, comprendre, prévoir, maîtriser. On n'est qu'un **résultat** de cette Intelligence, de cet Amour qu'on peut appeler Dieu. Ce résultat de son Amour est investi d'énergie et doué de fonctions et de facultés diverses, **mais, du début à la fin,**

c'est toujours cette Source infinie qui le fait marcher, le nourrit et le tient en vie.

Le Divin remplit chaque organisme de capacités et de dons qui manifestent Ses propres capacités et Ses pouvoirs infinis. Mais, à aucun moment, ces dons ne sont notre propriété. Ce n'est jamais nous qui sommes au contrôle, jamais nous qui menons la vie. La Vie est un cours d'eau dont on ne connaît pas la Source et dont on ignore l'issue. C'est comme l'Esprit ou la Grâce dont parlait l'Évangile : *Comme le vent, on ne sait ni d'où il vient ni où il va.* Il n'y a pas de prise possible. Il faut garder les mains ouvertes. Pas d'autre position possible que de lâcher prise, de laisser venir ce qui doit venir, de laisser la Volonté de Dieu agir comme Elle le veut.

Mais il y a un secret derrière tout ce processus : c'est que notre impuissance est notre véritable puissance ou, plutôt, que notre impuissance permet à la Puissance divine d'agir librement, de prendre toute la place et de réaliser Son plan, Sa Volonté. *C'est dans ma faiblesse que je suis fort,* proclamait saint Paul. Notre rôle, c'est de nous enlever du chemin et de laisser passer la Grâce.

Toutefois, cela ne peut se faire tant et aussi longtemps que chacun croit qu'il est lui-même «la vérité et la vie». Seul, Dieu peut dire: *Je suis la Voie, la Vérité et la Vie.* Seul, Dieu peut le dire en chacun de nous, comme il le disait à travers le Christ. On est dans un Courant; mais si on se confie complètement à Celui-ci, si on s'abandonne à Lui, si on a une foi absolue en Lui, ce Courant devient nous et nous devenons le Courant : nous sommes alors de nouveau unis à la Source!

L'impuissance dont nous parlons, c'est l'humilité, la conviction que, par soi-même, on est démuni, faible et pauvre. Vous allez dire: «Si on est comme ça, comment pourra-t-on s'en sortir? c'est trop décourageant.» Et la réponse, c'est peut-être que : «on ne peut jamais s'en sortir tout seul.» *Sans le Christ,* est-il dit dans l'Évangile, *vous ne pouvez rien faire.* Sans le Dieu qui est en toi (c'est ça, être fils de Dieu), rien de bon ne pourra se faire et, si c'est bon, ce n'est certainement pas toi qui le crée de tes propres forces. Le fait d'**avouer son impuissance** crée un vide en nous et ce vide se remplit aussitôt de **la Toute-Puissance de Dieu.** Dieu veut prendre toute la place.

C'est par l'humilité que l'on naît de nouveau. Être humble, c'est être dénué de toute prétention; c'est voir qu'on n'est pas quelqu'un. La personne humble est bien décrite par Maître Eckhart, un maître spirituel du Moyen Âge, comme *celle qui ne désire rien, ne sait rien et ne possède rien.* En somme, c'est reconnaître qu'on n'est rien. Et c'est là que tout **commence** : une fois qu'on a traversé l'épreuve, qu'on s'est perdu, qu'on a reconnu son grand aveuglement. Dieu ne nous transforme qu'une fois que l'on s'est reconnu, que l'on a avoué ses prétentions et ses illusions.

C'est cette reconnaissance qui nous fait voir le sens de la vie et qui nous remplit de force pour la vivre pleinement. *L'éveil, c'est l'humilité,* dit Éric Baret, un maître d'aujourd'hui, bien connu au Québec et en France. *C'est arrêter de se prétendre ceci ou cela, arrêter de prétendre diriger sa vie. Se rendre compte que le courant des choses est là et se donner à ce courant sans vouloir diriger, c'est l'humilité.*

Certains indices montrent que la vie du corps ne vient pas de nous, que ce n'est pas nous qui la contrôlons, que quelque chose se fait à notre insu, qui agit, qui fonctionne sans nous consulter et qui peut même se passer de notre conscience.

Il y a tout d'abord le **souffle.** On respire, mais on ne sait comment cela se fait, ni ce qui provoque ce mouvement. Toutes les traditions spirituelles reconnaissent que le souffle est le messager de l'esprit, le premier signe de Sa présence dans le corps. Le souffle a toujours été associé à l'Esprit et, en latin, le mot *spiritus* veut dire à la fois souffle et esprit. La respiration est une condition nécessaire à la vie, une condition qui, dans notre cas, ne dépend aucunement de notre volonté ni de notre compréhension pour fonctionner comme il faut. On découvre que l'on respire bien longtemps après que ce soit le cas. Ça ne vient pas de nous, ça vient en nous, nous envahit et déclenche tous les autres processus corporels. Et si le souffle s'arrête, tout se paralyse.

À la fin, on perd le souffle. C'est cela que veut dire mourir : rendre le dernier soupir, le dernier souffle; rendre, remettre ce qui a été donné gratuitement. Du début à la fin, le corps est entouré, rempli et entretenu par le souffle.

Il y a ensuite le **sommeil.** Je parle du sommeil profond, pas du rêve. On aime dormir, c'est un délice. Et on ne peut s'empêcher de dormir, du moins pas pour longtemps. Le corps reprend vite ses droits. Le sommeil nous fait descendre à un niveau si profond qu'on n'est plus conscient, qu'on ne peut même plus avoir la prétention de contrôler. Tout nous est enlevé : émotions, pensées, sensations, actions, mouvement. On est, pour ainsi dire, presque complètement mort à l'environnement. On pourrait nous enlever la vie, entrer par effraction ou nous voler, qu'on n'en saurait rien. C'est que, dans le sommeil profond, il n'y a pas de Moi. C'est pourquoi on est si bien, si heureux. C'est aussi pourquoi on se réveille, le matin, reposé et en forme.

C'est que l'absence du Moi nous libère de tout stress, de toute angoisse, de toute inquiétude. Le sommeil est la porte d'entrée dans la Présence divine, justement parce qu'il n'y a que le Silence de Dieu en l'absence totale du Moi. Cet état de bonheur est recherché à travers notre vie. Ce qu'on veut, c'est être libéré du Moi. Et c'est cet état final qu'annonce, chaque nuit, le sommeil.

On connaît donc le bonheur puisqu'on le goûte chaque nuit et pendant plusieurs heures. Une autre expérience du bonheur que nous n'oublions jamais est l'enfance, où nous étions – surtout depuis la naissance jusqu'à l'âge d'environ deux ans – tellement ouverts à la vie, sans inquiétudes, sans peurs, sans attentes, dans un émerveillement continuel. Chacun de nous connaît le bonheur, autrement on ne pourrait jamais désirer le retrouver à nouveau.

Il y a ensuite l'apparition subite de la **raison** autour de l'âge de sept ans. La raison vient sans préparation de notre part et sans notre consentement. Quand le corps est assez évolué, il y a des étapes de développement qui se déclenchent. Celle de la raison arrive longtemps après que le corps est en vie.

Un enfant est parfaitement intelligent, même s'il n'a pas la raison. Il y a chez lui une intelligence plus fondamentale et plus perçante qui s'appelle l'intuition. L'enfant voit des ensembles, il n'analyse pas. Il voit les liens entre les choses, il les sent. Il vit avant tout dans sa sensibilité, dans ses sensations, dans son corps. Si la raison était le fondement de l'être humain, elle serait là dès le début. Ainsi, la vie nous montre que le fondement de la vie corporelle, c'est l'intuition, l'innocence du cœur, la capacité d'aimer et d'être émerveillé. Car c'est cela qui arrive en premier et qui ne se perd jamais totalement même si c'est en veilleuse pendant longtemps; aussi longtemps que la raison mène le bal. Mais il reste qu'on est humain par le cœur et la sensibilité plutôt que par la raison. Toutefois, il est important de pouvoir raisonner et faire des calculs, des analyses. Ce sont des opérations nécessaires dans la vie même si elles devraient être placées en second.

Un autre moment important de la vie du corps est l'invasion de la **sexualité** qui arrive sans notre consentement et sans que nous ne puissions l'empêcher. Mais, même si on nous l'explique d'avance, on ne peut savoir ce que c'est avant que la chose ne se manifeste. Et on ne nous avertit pas par télégramme la veille : «Demain, à 11 h, ça va se produire, attention!» Cela se produit, que l'on soit prêt ou non dans sa tête et dans ses émotions. C'est le corps qui manifeste les signes de la sexualité qui ne vient décidément pas de notre intelligence ou de notre volonté. Chez la jeune fille, la fonction sexuelle est beaucoup plus répandue dans le corps que chez le garçon, où elle est plus localisée. Mais, pour les deux, la sexualité bouleverse le corps et change la vie. On découvre l'attraction vers d'autres corps.

La sexualité entraîne, dans son sillage, le **coup de foudre** qui, lui aussi, vient de façon abrupte, sans nous avertir et sans que nous puissions en comprendre le mécanisme. Tout cela est indépendant de nous. En fait, nous serions bien embarrassés d'avoir à créer la sexualité ou à inventer un coup de foudre. L'être humain est mené plus qu'il ne mène. On ne peut faire apparaître un coup de foudre et on ne s'en débarrasse pas si facilement. Où se trouve la liberté dans tous ces phénomènes? Le corps semble suivre une loi qu'il ne nous est pas permis de comprendre.

Les **fonctions physiologiques** sont toutes en opération sans que nous intervenions. En fait, tout fonctionne bien seulement lorsqu'on ne s'en mêle pas; sauf, bien sûr, lors d'une infirmité ou d'un accident. La digestion, l'élimination, la circulation, le fonctionnement harmonieux des organes, les systèmes nerveux – lymphatique et immunitaire –, tout fonctionne comme un orchestre bien rodé. Mais où est le chef? Ce n'est certainement pas moi. La Vie se passe de nous pour fonctionner, pour évoluer, pour se maintenir. Même l'entretien de la vie est prévu par la vie : elle a créé l'appétit, le goût de boire et de manger, assurant ainsi sa continuité.

Il y a aussi les **inspirations** artistiques, industrielles, artisanales, toutes les formes de créativité. L'inspiration ne s'obtient pas, aucun effort ne la fait naître, elle semble venir d'elle-même bien que le travail de l'artiste prédispose à la venue de l'inspiration. Ici, encore, la Vie agit sans notre permission et sans que nous ayons besoin d'intervenir. Cela se produit comme un feu qui enflamme un paquet de brindilles : tout change lorsqu'arrive la Lumière.

Il y a finalement les événements-chocs de la vie, ceux qu'on ne peut prévoir et qui chambardent nos attentes et habitudes : les faillites, les divorces, les pertes d'emploi, les mortalités, les abandons ou les trahisons, les maladies mortelles, les échecs. Décidément, la vie n'est pas à nous et nous n'en sommes jamais les maîtres.

LEÇON 2
deuxième étape
(Rappel : je ne peux rien seul, mais Dieu peut tout)

Nous en sommes venus à croire qu'une Puissance supérieure à nous-mêmes pouvait nous rendre la raison.

Retrouver la raison veut dire devenir abstinent. C'est un palier important. On peut dire qu'il y a deux paliers dans l'aventure des douze étapes : le premier est l'abstinence; le second est la sérénité. Être abstinent, c'est la condition pour que la sérénité vienne ensuite remplir la vie. Être abstinent n'est pas le but de la vie, c'est la **condition** pour la bien vivre, pour la mieux vivre, pour être enfin pleinement en vie.

Retrouver la raison, c'est comprendre que, seul, nous ne pouvons rien. C'est le fait de s'en remettre complètement à une Puissance supérieure. Retrouver la raison, c'est prendre un train qui a déraillé et le remettre sur les rails afin qu'il reprenne son voyage, là où il l'a laissé.

On ne peut penser correctement qu'après avoir reconnu son impuissance. Et reconnaître son impuissance, c'est croire à une Puissance supérieure à soi. Et ce n'est pas notre petite raison qui nous a fait découvrir Dieu, c'est la perte de la raison dans un état de folie qui nous a menés vers un précipice, qui nous a catapultés dans les Mains de Dieu. C'est la découverte de notre impuissance et la reconnaissance d'une Puissance supérieure qui nous a rendus à nous-mêmes.

On ne peut, par la raison, se changer, se transformer. Seule, la raison ne peut rendre quelqu'un bon, ne peut nous rendre vertueux, ne peut nous rendre abstinents. La raison seule ne connaît pas l'amour et c'est pourtant l'amour qui nous a sauvés et qui nous sauve toujours. La raison seule ne peut nous guider. On a déjà essayé de se guider par la tête, par l'intellect, mais c'est en grande partie ce qui, justement, nous a perdus. La seule chose qui peut nous sauver, c'est la Puissance supérieure qui, Elle, nous rend la raison. La Puissance divine comme Maître de nos vies et la raison comme serviteur, comme instrument. **Ce n'est donc pas la raison qui nous a fait reconnaître notre impuissance, c'est plutôt le fait de reconnaître notre impuissance qui nous a rendu la raison.**

Dans l'Évangile, Jésus parle à Pierre avant de le quitter. Il lui dit une seule chose : *Quand tu étais plus jeune... tu allais où tu voulais, mais lorsque tu seras vieux, Un Autre... te mènera où tu ne voudras pas* (Jn 21).

C'est cela, la transformation; c'est cela, devenir un véritable adulte. C'est comprendre de plus en plus qu'on ne fait rien par nous-mêmes, que c'est toujours UN AUTRE qui fait tout : Il nous donne la vie, l'entretient même quand on dort ou qu'on ne s'en occupe pas; Il donne toutes les énergies et les capacités de faire ce qu'on a à faire et rien de tout cela n'est fait par nous.

On ne peut même pas comprendre comment fonctionne la vie, ce qui la fait fonctionner, ce qui fait marcher les cycles de la nature, l'interdépendance entre les animaux, les plantes, les oiseaux, les insectes, entre la terre, la mer et le ciel et les galaxies. On ne comprend rien à rien.

C'est un peu comme si la banque m'avait prêté une grosse somme d'argent. Disons que je veux construire un garage (oui, mais c'est avec l'argent de la banque). Je paie les études de ma fille (oui, mais c'est avec l'argent de la banque). Je bâtis un chalet, je répare la maison, je m'achète un bateau, une voiture, un camion (oui, mais c'est avec l'argent de la banque).

Devant les autres, je me vante, je fanfaronne : «Hé! Tu n'as pas vu ce que j'ai fait cet été? Je me suis bâti une maison, un chalet, mon chalet. Tu devrais voir ça, c'est vraiment quelque chose.» Les autres sont impressionnés, pleins d'admiration, mais on se garde bien de dire le fond de l'affaire. La vérité, c'est que l'on a fait ça grâce à la banque. On peut se vanter, parader, faire comme si, mais on sait très bien, au fond de soi, que ce n'est pas nous qui aurions pu faire ça tout seul et que l'on n'aurait pu songer à le faire sans les fonds de la banque. Il en est ainsi avec notre vie nouvelle.

Je pense faire quelque chose, mais d'où vient l'énergie? De la Banque divine. Je veux étudier, me perfectionner, devenir compétent, mais d'où viennent les talents et les prédispositions, les goûts, le courage de poursuivre? De la Banque divine. J'ai des idées pour une nouvelle «business», pour m'ouvrir une boutique, commencer à produire, mais d'où viennent les idées, les projets, les intuitions? Toujours et uniquement de la Banque divine.

On ne peut rien bâtir sans les fonds de la Banque divine. On ne peut pas de ses propres forces recommencer à nouveau, cela n'est pas de notre ressort, de notre pouvoir. La Source fournit tout : énergie, goût, force, caractère, persévérance, réussite. On ne peut que laisser tout dans les Mains de la Puissance supérieure et La laisser mener notre barque, nous conduire comme Elle le voudra. «Que Ta Volonté soit faite, non la mienne»; pas seulement «que Ta Volonté soit faite» avec le sous-entendu «mais la mienne aussi, du moins de temps à autre», non. «Que Ta Volonté soit faite et **non la mienne. Point final.**

C'est la Volonté de Dieu partout. Rien n'existe en ce monde qui ne soit voulu par Dieu. Les conditionnements du corps et de l'esprit sont Sa Volonté; les événements qui doivent nous arriver, les choses et les personnes qui vont nous réjouir et nous peiner, les actes qui, une fois posés, entraînent des drames et des situations qui nous acculent au pied du mur, tout est la Volonté de Dieu. On est dedans vingt-quatre heures sur vingt-quatre. Et c'est toutes les heures qu'il s'agit de dire «que Ta Volonté soit faite et non la mienne.»

Une des raisons qui font que c'est si long la transformation, que c'est si long de remettre le train sur ses rails et de retrouver sa vitesse de croisière, c'est qu'on pense quand même que, par nos efforts, notre talent, nos idées, on va y arriver. Secrètement, ces pensées remontent d'une façon sournoise et hypocrite : on a été tellement habitué à penser que c'est nous qui menions, que nous allions faire de la vie ce qu'on en voulait, que maintenant il nous est difficile de voir que c'est justement ça qui nous a perdus. On a cru pouvoir se construire un paradis, un bonheur, une réussite, mais sans le secours essentiel, les fonds indispensables, tout-puissants de la Banque divine.

Maintenant, il s'agit de voir cela clairement. Maintenant qu'on a admis notre impuissance, la clarté de la vision commence à nous revenir. Maintenant que nous voyons bien que notre volonté, notre raison, notre habileté n'ont pu nous empêcher de nous arrêter de boire, qu'ils ont même précipité notre chute, il nous reste une chose, un secours, une planche de salut : tout remettre à la Volonté de la Puissance supérieure. Que Sa Volonté soit faite!

LEÇON 3
troisième étape
(Rappel : je ne peux rien seul, mais Dieu peut tout)

*Nous avons décidé de confier notre volonté et nos vies aux soins de Dieu **tel que nous Le concevions.***

Nous avons donc admis notre impuissance et, par conséquent, nous remettons tout dans les Mains de cette Puissance supérieure qui nous a amenés là où nous sommes. Car si Cette Puissance n'était pas déjà là, au point de départ, même avant notre naissance, il n'y aurait pas eu possibilité de La retrouver, d'en prendre conscience et de recevoir Son Aide indispensable. Si l'Amour, la Paix, la Force n'étaient pas déjà présents, assistant à nos bringues, nos excès, nos fuites et nos désespoirs, nous ne serions pas dans le Mouvement des A. A.

Tout ce que fait la Vie, c'est de nous ramener au point de départ, comme un boomerang : on est lancé, on est rappelé. **On se perd dans ses illusions et ce sont ces illusions mêmes qui nous permettent de nous réveiller.** Tout est prévu, tout est déjà là, au point de départ : ça ne fait que se dérouler comme ça devait se faire. C'est exactement comme la semence de l'érable : la petite graine contient, en entier, l'arbre gigantesque qui, un jour, en sortira. **Car si l'arbre n'était pas contenu dans la semence, il n'y aurait jamais d'érable.** La Puissance, l'Énergie, l'Amour qui nous précèdent, nous contiennent et nous tiennent en vie; cette Vie éternelle a semé en nous ce qui doit arriver, ce qui doit être vécu. Au début, on se pense bien fort, fringuant et prêt à tout casser, mais un jour, on se sent démoli, aveuglé, faible, perdu. C'est alors que l'on aperçoit la Source, le vrai Chez-nous, la Demeure paternelle, la Demeure éternelle, la paix, le bonheur, la sérénité que l'on avait cherchés à travers toutes nos escapades et nos efforts. La vie nous ramène au point de départ qui est notre véritable point d'arrivée. Le voyage se fait de Dieu à Dieu et ce n'est pas nous qui conduisons la voiture!

Un jour, j'ai fait un songe. J'étais en auto en plein milieu de Montréal et ça roulait extrêmement vite, mais tout filait parfaitement et, cependant, il n'y avait personne au volant. Comme j'étais assis à l'arrière, je saute à l'avant pour prendre le volant, convaincu qu'une auto doit avoir son conducteur. Mais en prenant le contrôle, tout s'arrête. (J'oublie de dire que dans la réalité, je ne sais pas conduire.) On me disait donc : «Comme tu ne sais pas conduire une auto, n'essaie pas de conduire ta vie. Car, ce n'est jamais toi qui conduis de toute façon : la vie te conduit, mais de manière si discrète et silencieuse que tu penses toujours que c'est toi qui fais tout. C'est vraiment le temps que tu te réveilles!»

Nous avons donc décidé de confier notre volonté et nos vies aux soins de Dieu. On dit bien que ce Dieu n'est pas défini, qu'Il n'est pas nommé, qu'Il n'est pas prescrit, qu'aucune religion ne va nous happer ou nous soumettre. En fait, la vie spirituelle n'est pas de la religion : il ne s'agit pas de **croire quelque chose**; il ne s'agit pas de **se soumettre à des humains**; il ne s'agit pas **de donner tout son bien ou son argent** à un illuminé qui se prend pour

Dieu; il s'agit, au contraire, de **se fier à ses expériences vécues sans jamais se soumettre à quiconque, sans dépendre de rien en dehors de soi.**

Croire en quelque chose qui a été décidé ou défini par quelqu'un d'autre, c'est une attitude risquée, sans aucune sécurité. On peut nous tromper et, si on n'a aucun moyen de vérifier ce qu'on raconte, comment être sûr, comment savoir qu'on n'est pas en train de se faire avoir? Croire parce que d'autres l'ont dit il y a des milliers d'années, ce n'est pas très fort. Ce n'est pas quelque chose que l'on a vécu soi-même et que l'on peut vérifier. Et ce n'est pas parce que cela nous apparaît beau et séduisant que c'est vrai et qu'il faudrait y croire. C'est surtout dans ce cas-là qu'il ne faudrait justement pas croire. Toujours vérifier, toujours regarder les faits. Et s'il n'y a pas de faits à considérer parce que ça s'est passé il y a trop longtemps, alors il serait plus sage de mettre cela de côté et de s'en tenir au vécu, à ce qui peut être vérifiable.

On peut toujours avoir les **croyances** que l'on veut, mais les **faits** sont autre chose. On ne peut que les admettre et les reconnaître. Tenez, par exemple, le fait que la terre tourne, que les saisons sont là avec leur gel, leur verdure, leur chaleur et leur feuillage rouge : cela est un **fait.** Le corps humain, tous les corps vivants ou non sont lourds, sont soumis à la gravité; tous les gaz montent. Ce sont des **faits,** pas des croyances. On a mal au pied, au ventre, à la tête; on souffre dans son corps, on ressent de l'angoisse, de la peur, de la haine, de la jalousie; ce sont des **faits** expérimentés, non des croyances. Il y a des maladies, des cataclysmes, des inondations, des ouragans, des incendies de forêt, des volcans et des raz de marée; ce sont des **faits** vérifiables, non des croyances.

Tout, dans cette vie, est souffrance, tout est instable et changeant : cela n'est pas une croyance mais un **fait.** Ce n'est pas de la religion où on peut toujours raconter des histoires merveilleuses, mais impossibles à vérifier; ce n'est pas de la religion, mais de l'expérience vécue, des FAITS. En réalité, la constatation universelle que la vie est pénible, que la vie est impermanente, a été reconnue par le Bouddha, il y a 2 500 ans. Et, par exemple, contrairement aux croyances que le christianisme a imposées, ces faits de la vie sont toujours vérifiables puisqu'ils se passent aujourd'hui. Ce ne sont pas des choses que l'on **croit avoir eu lieu** dans le passé.

Il ne s'agit donc pas de croire en un dieu quelconque, il s'agit de voir que nous ne sommes rien par nous-mêmes et que nous expérimentons une impuissance, une faiblesse, un écrasement, un désespoir qui ne sont pas du tout imaginés : ce sont des faits. Cette admission d'impuissance est un fait; la découverte que ce n'est pas nous qui menons notre vie, cela aussi est un fait. Nous ne pouvons pas dire ce qui mène notre vie; on ne fait que reconnaître que ce n'est décidément pas nous. Qu'est-ce qui fait cela? Qui fait cela? Comment s'appelle Ce ou Celui qui fait cela? La question reste ouverte. On ne peut définir cette réalité secrète et insaisissable; on ne peut la connaître comme un **fait** en dehors de nous : ce n'est pas un objet, c'est quelque chose **qui nous échappe,** mais à quoi évidemment **on ne peut échapper.** On sait que c'est plus grand que nous, mais on ne sait pas quoi. *On sait du moins qu'on ne sait pas.*

Pour s'entendre, on va commencer par dire prudemment : «Dieu tel que nous Le concevons.» C'est un terrain dangereux parce que notre imagination – on le sait trop bien – est agile et tenace et, spontanément, elle se met à créer des images, à inventer des formes, à donner des noms et ensuite à croire à toutes ses propres créations. On trouve bien difficile de dire tout simplement : «JE NE SAIS PAS.»

Combien de fois avons-nous avoué dans notre vie que nous ne savions pas? Ça a toujours été le contraire : Monsieur *know-it-all*, le petit «Je-sais-tout» qui se prend pour le nombril du monde, qui prétend tout savoir, tout connaître et tout comprendre; le voilà qu'il rencontre un mur dans sa vie. Il y a quelque chose qu'il ne comprend pas qui surgit, qu'il ne peut définir, qui demeure insaisissable et qui pourtant crève les yeux; c'est tellement évident, comme la vie, et ça résiste à son contrôle, à sa puissance d'analyse et de concentration. On ne sait pas ce qu'est Dieu et on ne le saura jamais; même si on L'a défini, Il reste insaisissable et incompréhensible. Tous ceux qui ont vécu l'aventure spirituelle ont reconnu que ce n'est pas nous qui connaissons Dieu, mais que c'est Lui qui nous connaît et nous révèle à nous-mêmes, **qui nous fait voir.**

Croire en un Dieu qu'on se fabrique – c'est-à-dire non basé sur des faits vécus, mais sur de la fantaisie –, cela peut mener au même endroit que l'alcoolisme. C'est peut-être justement parce que l'on a vécu dans des croyances semblables, où on se fabriquait un Dieu à son image, que l'on est tombé de si haut. Si on pouvait seulement passer quelque temps sans essayer de nommer, de décrire ou de définir ce Dieu et qu'on Le laissait plutôt agir. On Le laisserait faire, on se soumettrait silencieusement à Lui, corps et âme, on accepterait de se laisser conduire, cela changerait tout. On arrêterait de vivre dans l'illusion de se fabriquer un dieu à notre convenance et on dirait simplement : «Tout ce que je connais de certain, c'est que je ne suis rien tout seul, que je ne me suis pas fait moi-même et que je ne vois pas où je m'en vais. Fais donc ce que tu veux, Toi qui es Maître de ma vie, Toi qui m'as maté, qui m'as ramené à Toi.»

Mais comme les personnes qui ont vécu dans l'intimité de Dieu ont parlé de l'expérience de «ce Dieu tel que nous Le concevions», il serait bon de se rappeler qu'ils se sont tous entendus pour dire que Dieu est inconnaissable, que la pensée ne peut Le connaître, qu'il n'y a que l'Amour, l'abandon total qui fait qu'on peut Le sentir, Le pressentir, Le deviner. L'amour rend semblable. En fait, l'amour fait plus que ça; l'amour, c'est l'union totale avec ce qui est aimé, c'est là où cesse toute séparation, toute distinction. C'est donc là seulement que l'on connaît et que l'on est connu. Il y a un unisson, une transparence. Mais pas de place pour l'analyse, les catégories, les concepts. C'est un Silence rempli d'Amour, un Amour silencieux, mais qui prend toute la place et qui nous comble.

Il est certain aussi que, si on est dans la culpabilité et le remords, on va projeter un Dieu juge, sévère et punitif. Le «Dieu tel qu'on Le conçoit» est donc défini à partir de notre état actuel. Voilà pourquoi c'est la connaissance que l'on a de soi-même qui détermine la connaissance que l'on peut avoir de Dieu. *Connais-toi toi-même,* disait le sage Socrate, il y a 2 500 ans. Si on se connaît, on verra que la culpabilité et le remords sont simplement un jugement excessif porté contre soi-même; c'est une attitude excessive et injuste. En fait, on ne se connaît pas vraiment lorsqu'on se condamne : seuls le pardon et l'amour font vraiment connaître. Reporter cette culpabilité sur Dieu va créer un Être suprême qui juge et condamne. C'est très souvent cette fausse conception de Dieu qui nous a, en grande partie, maintenus dans l'alcoolisme. Cette conception de Dieu nous a écrasés, condamnés, damnés, au point qu'il n'y avait pas d'issue possible ni sur terre ni dans l'au-delà. La prison était fermée à double tour.

Oui, on doit concevoir Dieu comme on l'entend, mais il faut en même temps se regarder comme il faut pour voir ce qui est excessif et erroné dans notre façon de nous voir. Cela nous montrera comment on est erroné dans notre conception de Dieu. Lorsqu'on voit la culpabilité, le remords, la haine de soi, le besoin de se fuir, la pire chose à faire c'est de se condamner d'être ainsi et de vouloir lutter contre tout cela. Il faudrait agir comme cela s'est fait quand on a admis son impuissance : on a reconnu un **fait** tout simplement, sans rien ajouter. On n'a pas essayé de changer ce fait, mais de l'accepter. Vouloir le changer avant de l'avoir pleinement accepté, c'est de la violence, du jugement et ça recule la solution plutôt que de la faire venir.

Ne jamais se juger lorsqu'on s'examine, mais faire plutôt un relevé, une recherche, un compte-rendu sans commentaires, sans jugements, sans impatience. Simplement reconnaître et dire : **Oui, c'est un fait.** Et c'est cela qui change la situation; ce n'est pas vouloir que ça change (car ceci est un refus du fait que ça n'a pas changé). Ce vouloir fait partie de notre désir de tout contrôler. Or, ce désir de contrôler a justement précipité l'échec qu'est l'alcoolisme. Cela change automatiquement dès que nous regardons tout ça avec amour, en laissant cela exister, en le regardant avec compassion et sans se faire le moindre reproche. Car, comme c'est surtout le fait que l'on s'est détesté de se voir tel qu'on était qui a précipité notre chute, c'est à force de se voir avec amour, à force de s'aimer, que l'on en remonte.

La conception qu'on se fait de soi est la conception qu'on se fait de Dieu. Et la conception qu'on se fait de Dieu va déterminer notre progression, le rythme de notre libération. Si on voit Dieu comme une Absence absolue de jugement, comme une Présence pleine d'amour, comme à la fois une Mère et un Père pleins de sollicitude et d'attention, comme une Tendresse qui nous a d'avance tout pardonné, c'est qu'on s'est vu ainsi et toute notre vie se met alors à changer spontanément sans qu'on ait à faire d'efforts. C'est toujours l'amour qui fait croître, ne l'oublions pas.

Il y a une raison profonde qui fait que c'est ainsi : c'est que le Divin en nous est le meilleur de nous, c'est la Source qui n'a jamais été polluée; c'est l'Enfance éternelle, la Pureté, la Beauté, la Lumière de notre âme. Et se regarder avec amour, sans jugement, c'est vivre avec la Force même de Dieu.

Nous avons tous connu le bonheur. Dans l'enfance, nous avons connu cet état où on ne souffre pas, où on est comblé et où on ne désire rien : on est dans l'étonnement, l'émerveillement, la plénitude. C'est le bonheur. On l'a peut-être connu une fois ou même pendant longtemps lorsqu'on était enfant. Et on connaît également le bonheur dans le sommeil profond, là où il n'y pas de rêves. Cet état est béatifique; c'est un bonheur qu'on recherche chaque nuit. On y perd toute notion du temps, toute notion des choses à faire et à éviter : des combats, des drames et des souffrances. On perd même toute idée d'un Moi; dans le sommeil profond, il n'y a personne, seulement la Conscience silencieuse qui veille à nous tenir en vie, à faire fonctionner les organes et à nous reposer.

Le bonheur peut apparaître également tout au long de la vie, par petites secousses, dans de brefs éclairs, comme lorsqu'on voit une rose, le visage d'un enfant, d'un amant ou d'une maîtresse, un petit chat, un coucher de soleil merveilleux, que l'on entend une musique qui nous bouleverse, que l'on voit un spectacle, un geste, une action admirables. Ces moments sont fugitifs, mais c'est comme si on avait eu une vision instantanée du bonheur.

Le Divin travaille constamment en notre faveur. Il est notre bonheur; Il est le seul bonheur que nous ayons connu et que nous connaîtrons jamais. Cela est déjà en nous. On ne fait que Le reconnaître et Le laisser agir pour que cela se mette à changer notre vie, notre cœur, notre façon de voir les choses. On ne sait toujours pas Ce Qui ou Qui fait tout cela, mais on sait que ce n'est pas nous. C'est «Dieu tel que nous Le concevons.»

LEÇON 4
quatrième étape
(Rappel : je ne peux rien seul, mais Dieu peut tout)

Nous avons courageusement procédé à un inventaire moral minutieux de nous-mêmes.

Comme je l'ai dit dans la leçon précédente : se connaître soi-même, c'est connaître Dieu. Et se connaître soi-même, ce n'est pas se juger, se condamner, se regarder sévèrement, trouver la bête noire, s'attarder aux laideurs et à nos comportements dégoûtants. Tout cela, c'est du **jugement.** C'est justement cela qui nous a amenés vers notre chute et ce serait vraiment malavisé de reprendre la même attitude.

Se connaître soi-même, c'est se regarder comme on regarde les légumes pousser dans son jardin : on est plein d'attention, de sollicitude; on les cajole presque, mais jamais on ne penserait un seul instant à les injurier parce qu'ils poussent trop lentement. Se connaître vraiment soi-même, c'est comme s'occuper des outils dont on se sert : on est soigneux avec ses outils, on les respecte, on les nettoie, on les range. C'est la même chose avec un nouveau-né : pas question de le juger même une fois qu'il est sevré ou même lorsqu'il commence à parler ou à marcher. **On est en faveur, c'est tout.** Eh bien! Dans la connaissance de soi, il y a cette sollicitude, cette patience, cette attention continuelle. Se juger d'avance empêche la vérité de se faire, empêche les **faits** d'apparaître, alors que rester sans jugement comme un savant qui étudie une plante, une souris ou un oiseau pour savoir comment ils agissent, ce qu'il leur faut, ce qui leur nuit, ce qui les aiderait, c'est cela l'attitude qui permet à la vie de se guérir, de s'épanouir, d'éclore et de poursuivre son chemin.

C'est seulement l'amour que l'on a pour soi-même qui peut nous guérir.

C'est seulement l'amour que l'on a pour soi-même qui peut nous libérer.

C'est seulement l'amour que l'on a pour soi-même qui peut nous changer.

Rien d'autre, aucun effort de pensée, aucune volonté, aucune analyse ne nous changera, ne nous guérira, ne nous libérera.

Que veut dire «faire un inventaire moral minutieux de nous-mêmes»? Le mot «moral» fait allusion au sens du bien et du mal, c'est-à-dire à ce qui nous **semble** bien et ce qui nous **semble** mal. On a sans doute fait beaucoup de tort aux autres, mais c'est tout d'abord à soi que l'on a fait du tort. Cependant, il ne faudrait pas dramatiser et tomber dans l'apitoiement ou le romantisme. Ne l'oublions pas, ce que l'on a fait sous l'influence de l'alcool est ce qui nous a menés vers la conversion, vers la prise de conscience, vers l'admission de notre impuissance. C'est comme si tout avait été prévu pour qu'on aboutisse à un échec final et, pourtant, c'est cet échec même qui a été notre salut!

En réalité, tout ce qui est arrivé, tout ce qui arrive et tout ce qui arrivera est une Grâce; tout cela entre dans la Volonté de Dieu qui a des Plans secrets sur nos vies, des Plans qu'on ne peut connaître qu'après coup, que plus tard, une fois que les événements se sont manifestés.

Dans cette leçon, c'est de l'inventaire de soi-même dont il est question. On regardera du côté des autres plus tard. Ne mêlons pas les cartes. Commençons tout d'abord par regarder les conditionnements de l'organisme. Quand on parle d'organisme, cela veut dire tout ce que le corps contient : le cerveau et ses facultés (pensées, imagination, mémoire), la sensibilité, les sensations et les actions. **Tout, chez l'être humain, est contenu dans le corps, dans l'organisme.**

Or, tout cela, du début à la fin, est conditionné : toutes nos pensées, nos façons d'agir, les habitudes du corps, les organes et processus biologiques sont tous conditionnés du début à la fin. Il y a les conditionnements physiques, psychologiques et émotifs, que nous allons considérer séparément.

Tout d'abord, les conditionnements **physiques :**

la structure du corps, la taille : gras ou maigre, petit ou grand; la couleur des yeux, la forme et la couleur des cheveux; la «beauté» ou la «laideur»; les gènes; les maladies héréditaires; les attractions sexuelles; les goûts physiques pour tel plaisir, pour telle activité; la capacité de travail; l'appétit (nourriture).

Il y a aussi les conditionnements **psychologiques :**

le tempérament (violent, paisible, entreprenant, artistique, passif ou actif); les talents; la capacité intellectuelle; les prédispositions à apprendre et à retenir; les goûts artistiques; la façon de voir héritée du milieu, de l'éducation, de la famille, de la religion; les préjugés; les refoulements; les expériences niées; les névroses; les traumatismes; la volonté ou l'absence de volonté; le caractère ou la mollesse.

Et enfin, les conditionnements **émotifs :**

l'émotivité excessive; les retards émotifs; les attentes et les dépendances; l'état infantile de son émotivité, des besoins propres à l'enfant et que l'on traîne toute sa vie; les peurs; les tendances sexuelles inavouées; les échecs sexuels; les fantasmes inadmissibles publiquement et impossibles à satisfaire.

C'est là le bagage humain, le bagage des conditionnements. Mais, ces conditionnements qui incluent toutes les activités, expériences et facultés, sont-ils là pour rester? Peut-on s'en libérer, s'en débarrasser ou, du moins, en perdre quelques-uns? Pourvu qu'on ne soit pas pris avec eux jusqu'à la mort!

Disons tout d'abord qu'on ne peut jamais nier les conditionnements qui viennent de l'organisme, avec le corps. Mais il faut aussitôt dire que personne ne porte TOUS les conditionnements énumérés, personne ne les a au même degré, avec la même intensité et personne ne les a de la même façon ou avec la même intensité pendant toute sa vie.

Certains conditionnements peuvent s'en aller avec le temps, du seul fait de vieillir ou de mûrir. Mais il y en a – c'est la plupart – qui restent jusqu'à la fin. C'est de cette façon que l'on existe en ce monde. Ce n'est ni bon ni mauvais : ce sont des **faits.** (Remarquez que je reviens souvent sur les faits pour les distinguer de ce qui est pensé ou imaginé et qui est, bien sûr, complètement décroché des faits. Rappelons-nous aussi que c'est parce que l'on a **fui les faits** qu'on a connu la chute.)

On peut ainsi perdre du poids ou engraisser; on peut enlaidir; on peut voir ses attractions sexuelles diminuer, son goût pour telle activité changer ou même se perdre complètement (on ne joue pas «aux billes», «à la poupée» ou «au hockey» toute sa vie!) Notre caractère aussi peut changer : nos goûts, nos préjugés peuvent diminuer de force à mesure qu'on les regarde sans jugements et qu'on leur dit oui. Et, bien sûr, toutes les formes de dépendance et de fuites partiront à mesure que l'individu se regardera agir, s'acceptera et se pardonnera. (Au chapitre suivant, je suggérerai une façon de faire ce travail sur son émotivité et ses actions passées.)

Il y a donc des conditionnements qui peuvent changer. Mais il y aura toujours des conditionnements aux plans corporel et mental. Le corps et le mental sont totalement et constamment soumis à certaines conditions : ils sont le produit du passé, des attitudes, des pensées devenues habitudes, devenues un **«feuilleté» d'habitudes.**

Il est impossible de vivre sans conditionnements, car il est impossible de vivre sans habitudes. Même le fait de parler une langue, d'écrire, de lacer ses chaussures, de conduire un véhicule, de marcher sont des conditionnements qui s'appellent habitudes. Et toutes les habitudes ont deux effets opposés : elles nous libèrent et, en même temps, elles nous lient.

Les habitudes nous **libèrent** : savoir conduire une auto, lacer ses chaussures, s'habiller, manger, raconter une histoire, faire des transactions à la banque sont tous des actes tellement habituels qu'on n'a plus à faire d'efforts pour les exécuter, ce qui nous laisse libres pour autre chose de plus important. (Si on devait apprendre, chaque matin, à lacer ses souliers, on perdrait une heure chaque fois : on se lasserait soi-même autant qu'on lacerait ses souliers!)

Les habitudes nous **lient** également : chaque geste posé plus d'une fois nous lie de plus en plus. Après quelque temps, on a tellement répété le geste qu'on ne le voit plus, qu'on ne le sent plus, qu'il est devenu absent, inconscient : on n'est plus là lorsqu'il se passe. C'est ainsi que l'habitude de se fuir, de fuir son enfer, sa guerre intérieure, de fuir son passé, peut devenir si forte, si irrésistible («c'est plus fort que moi») que l'on ne peut plus s'en sortir, **justement parce qu'on ne peut plus la voir.**

Ce sont donc tous ces conditionnements qu'il s'agit de regarder en face sans broncher. Mais attention! Il s'agit de les regarder, de les observer, de les noter, mais il ne s'agit en aucune façon d'analyser, de se demander pourquoi on a agi ainsi ou pourquoi la vie a été ainsi, de se faire des reproches, de se sentir coupable, de se haïr ou de se condamner. Aucun jugement. Simplement regarder et noter, avec patience, avec attention, avec sympathie même. Car, ne l'oublions pas, il s'agit d'apprendre à se pardonner, à s'aimer de la bonne façon.

NOTE : Le mot «jugement» demande une explication. Le jugement peut vouloir dire «un jugement qui a été porté par un juge de paix contre un criminel» (jurisprudence) ou «de la jugeote, du bon sens». Quand je dis qu'il ne faut pas se juger, c'est évidemment dans le premier sens : il ne faut pas se condamner. C'est le sens qu'emploie l'Évangile lorsqu'il dit : *Ne jugez pas et vous ne serez pas jugé*. Mais s'il faut arrêter de juger (de condamner), il est par ailleurs essentiel de garder sa jugeote, sa capacité de juger de la valeur des choses, d'utiliser son jugement, puisque c'est justement cela qu'on a perdu dans l'aventure de la dépendance alcoolique ou du fait que nous avons perdu «la maîtrise de nos vies»; nous laissons désormais au Maître de la Vie la possibilité de nous «rendre la raison», c'est-à-dire le BON SENS.

LEÇON 5
cinquième étape
(Rappel : je ne peux rien seul,
mais Dieu peut tout en moi)

Nous avons avoué à Dieu, à nous-mêmes et à un autre être humain la nature exacte de nos torts.

Se reconnaître, c'est regarder en soi ce qui a été vécu, non pour le juger ou se sentir coupable, mais pour voir clairement que, partout dans sa vie, on est impuissant par soi-même à sortir de son enfer, incapable de changer. La Grâce (l'Aide gratuite et puissante de la

Source) qui permet de s'accepter dans son impuissance donne, en même temps, la force de s'avouer à soi-même, à Dieu et à un autre tout ce que l'on a fait et qu'on a été. S'avouer à soi-même et à Dieu, c'est la même chose puisque Dieu n'est pas en dehors de nous, mais notre Racine, notre Fondement, notre base; la religion chrétienne appelle cela notre Père.

On avoue à une autre personne pour que ce soit plus concret, plus vrai, plus réel, pour s'apercevoir que tout cela est vraiment arrivé et que, en ayant une certaine difficulté à l'exprimer, ça prend toute sa force. Raconter à quelqu'un ses drames et ses erreurs, c'est une façon de s'en détacher, de les objectiver, d'y voir plus clair. C'est aussi une bonne façon de devenir plus humble puisque l'humilité, c'est reconnaître son état véritable, c'est cesser de se mentir, c'est reconnaître les FAITS.

Nos torts. Attention ici! Si nous regardons nos erreurs et nos drames passés comme des choses dont on se sent coupable ou dont on a raison d'avoir honte, on ne s'en sortira pas. La culpabilité est une des pires maladies émotives; ça fait partie du complexe alcoolique : **dégoût de soi/désir de fuir ce dégoût/dépendance vis-à-vis de cette fuite.**

La culpabilité est un état chronique de jugement sur soi-même. Il n'est même pas nécessaire d'être coupable pour ressentir la culpabilité. C'est le jugement que l'on porte sur soi qui crée la culpabilité; ce n'est pas l'acte commis. Il y a des actes que l'on a commis en toute innocence et que, plus tard, on a découverts comme étant nettement négatifs; tout comme il y a des actes que l'on a pris pour très mauvais et qui se sont avérés, plus tard, assez innocents. Ce n'est pas l'acte qui compte, c'est notre attitude face à lui.

Le dégoût de soi-même, la haine que l'on se porte créent cette condamnation sans merci. On se sent coupable, c'est pour cela qu'on se déteste. Mais, encore une fois, se sentir coupable est une impression subjective qui peut exister indépendamment de ce que l'on a fait. Le préjugé qui fait voir la boisson, l'enivrement, l'état d'ivresse et même l'alcoolisme comme une déchéance, une diffamation, nous hante tout au long de notre aventure. Il s'agit donc d'examiner les événements, les comportements, mais surtout les ÉMOTIONS de son passé. Car ce ne sont jamais les événements ou les actes qui nous rendent malheureux, c'est la façon dont nous les voyons, c'est notre réaction émotive à leur égard.

Dans la religion catholique, on pratiquait la confession pour obtenir le pardon du Ciel. On nous enseignait que le prêtre était celui qui pardonnait, qui avait le pouvoir de «délier les consciences». Mais quelqu'un de l'extérieur, qu'il soit prêtre, évêque ou pape, ne peut nous délivrer de notre mal : seul l'individu peut s'accepter, se pardonner, s'aimer. On disait que le prêtre remplaçait Dieu ou agissait à Sa place, mais personne ne remplace Dieu. En réalité, ça n'a jamais été le curé qui pardonnait, c'était Dieu et seulement Lui. (La preuve que le prêtre n'est pas nécessaire, c'est que, dans la théologie catholique, on dit que si on est seul au moment de la mort, sans recours possible à un prêtre pour se confesser, il suffit de demander directement pardon à Dieu. Si c'est bon à ce moment-là, pourquoi pas toujours?)

Lorsqu'on se regarde sans se condamner, on se pardonne. Le pardon, c'est l'absence de jugement, de condamnation. C'est-à-dire que le simple fait d'arrêter de se condamner et de regarder ses actes sans se haïr, sans les juger, cela même est le pardon. Et le pardon, c'est toujours le Pardon de Dieu : le Moi ne peut jamais pardonner, il juge et condamne toujours. Seul Dieu sait pardonner; c'est Sa nature même, Son penchant naturel, irrésistible. Par nous-mêmes, nous ne savons pas nous pardonner. La preuve, c'est que toute notre aventure alcoolique a été une vie de condamnation, de culpabilité et de jugement sur soi dont on a tout fait pour sortir, mais dont il nous était absolument impossible de nous tirer par nos propres efforts, par la force de notre intellect ou de notre volonté.

Il faut la Grâce de Dieu, la même qui nous a poussés à devenir impuissants et ensuite à nous avouer impuissants. S'avouer ses erreurs, c'est se mettre dans le courant de la Grâce et la laisser agir. C'est plonger dans le bain, dans l'océan. Il ne s'agit pas de scruter avec rage, acharnement et obsession, pour en sortir les dernières «petites bêtes» cachées (bêtes noires et diablotins dégoûtants). Il ne s'agit pas d'une analyse psychanalytique ou autre; il s'agit d'une reconnaissance simple et sans émotivité de **ce qui a eu lieu.** Les FAITS, rien de plus.

Nos torts. Le mot «tort» peut déjà s'avérer un jugement. Si nous pouvons regarder nos fautes et nos erreurs sans condamnation, nous en serons libérés. Mais même si nous les regardons juste avec un brin de condamnation, nous allons traîner en longueur la guérison de notre être. **Le jugement/condamnation, c'est une séparation : on se sépare de ce qu'on juge.** (Le juge est toujours de l'autre côté et il regarde de haut ce qui est devant lui.) **Alors que le pardon, c'est une union : on s'unit à ce que l'on pardonne.** On se raccorde, on s'harmonise, on cesse de regarder ses

81

actes de haut ou en dehors de soi. On devient ce que l'on pardonne. Le pardon est un acte d'union avec ce que l'on a rejeté, c'est un acte d'amour, de réconciliation.

Tout ce que l'on a fait par le passé et que l'on a refusé, rejeté, haï et condamné, tout cela a conduit vers l'impasse de l'alcoolisme : on était tellement coupé de soi-même, divisé intérieurement, tellement en guerre continuelle avec soi, qu'on ne pouvait pas s'autoguérir, s'unifier, se libérer. C'est la Grâce qui ouvre le cœur et qui lui permet d'accueillir tout ce qu'on avait jusqu'ici rejeté. Tous les actes et les comportements passés redeviennent nous-mêmes : tout cela, c'est bien nous. En reconnaissant ainsi que tout notre passé c'est nous, on cesse de le porter comme un fardeau. (On rejetait toujours ce qu'on était, et le fardeau s'alourdissait chaque jour.) Ce qu'on accueille avec un OUI devient nous et disparaît, mais ce qu'on refuse par un NON demeure comme un boulet qu'on traîne, si bien que l'on ne connaît jamais la paix. **Ce que l'on pardonne s'en va; ce que l'on ne pardonne pas demeure en nous comme un reproche.** Ce que l'on aime, ce à quoi on dit OUI, nous guérit; ce à quoi on dit NON nous écœure, nous décourage, nous désespère.

Voici un moyen de regarder son passé.
(1) **S'arrêter** tout d'abord. Et, après le travail, en fin de journée ou dans un moment libre, selon l'occupation,
(2) **s'asseoir.** On s'assoit dans un endroit tranquille, on respire quelques instants en profondeur pour se vider de toute l'activité de la journée. Ensuite,
(3) **fermer les yeux.** Les yeux fermés, on commence à
(4) **regarder** ce qui s'est passé dans la journée, ou dans le passé immédiat. On ne fait qu'observer, noter, comme

on prend des notes à une conférence ou à un cours; on n'intervient pas du tout par l'analyse, les questionnements, les réprimandes, les critiques. Il s'agit finalement de

(5) **recevoir,** d'être présent à ce qui monte, de dire OUI, un OUI sans condition, un OUI total. S'il n'y a pas d'événements particuliers qui apparaissent, alors

(6) **regarder les émotions,** celles qui dorment au fond de nous, les sensations vagues de peine, d'ennui, de colère, de solitude, de refus, de jalousie. Toutes les émotions sont enregistrées comme des sensations : lourdeur, tension, agitation, pincements, «fourmillements», chaleur, froid, douleur locale particulière. Toute cette méditation peut se résumer ainsi : **ouverture à ce qui est, acceptation des faits.**

Dans la littérature des A. A., on parle de temps à autre du Moi. C'est le cœur du sujet, la source de tout notre mal. Le Moi étant un noyau de peur en nous, il cherche à tout prix la sécurité, le contrôle; il cherche toujours à avoir raison, à être important, reconnu, aimé, admiré; il veut être l'Unique. C'est un nœud de Peur et de Désir. Le Moi est pure invention, une chimère, du vent.

On a peur de ne pas exister. Mais, en réalité, **on n'existe pas par nous-mêmes** et on ne veut surtout pas reconnaître cette vérité, sans quoi toute notre vie s'écroule. Croire qu'on est quelqu'un et qu'on est maître de sa vie, qu'on est fort, libre et puissant, tout cela c'est de l'invention pure. On se crée un personnage et on finit par y croire et tout le monde nous encourage à l'entretenir. On voit toute la vie, tous les autres à travers ce personnage. *We take it all personally,* comme le disent les Améri-

cains : on prend tout de façon person-
nelle. Tout est perçu à travers le filtre de
cette personnalité qui est toujours in-
quiète, agitée, qui se demande toujours
si on l'aime, qui cherche toujours à se
faire admirer, reconnaître, adorer. **Parce
que le Moi est dans une insécurité
constante, il cherche toujours et uniquement la sécurité.**

Et, bien sûr, il ne peut la trouver en
rien, surtout pas en lui-même (son corps
ou ses idées), parce qu'il n'y a rien de
durable, de permanent, de stable en
nous. Le Moi est donc ce qui crée un
état continuel d'inquiétude et de souffrance. On n'est jamais content; on n'a
jamais exactement ce que l'on veut; on
est insatisfait, déçu, découragé, désespéré, en manque continuel : il y a toujours
quelque chose que l'on désire qui nous
délivrera enfin de notre enfer et nous
donnera le bonheur qui ne vient jamais.

Avouer ses faiblesses et ses erreurs, ses manquements et ses torts, c'est dévisager le Moi. La première étape est un coup frappé au cœur du Moi : reconnaître son impuissance, c'est reconnaître que le Moi est la prétention d'être. Cette reconnaissance est le début de la délivrance. Voir, reconnaître le Moi dans son quotidien, dans les actions elles-mêmes, c'est déjà en sortir, c'est le commencement de la liberté.

Nous reviendrons forcément et souvent sur cette question du Moi, puisque tout le mal est là dans sa racine, dans sa semence.

LEÇON 6
sixième étape
(Rappel : je ne peux rien seul, mais Dieu peut tout en moi)

Nous avons pleinement consenti à ce que Dieu élimine tous ces défauts de caractère

Dans la première étape, nous reconnaissions notre impuissance face à l'alcool. Et c'est cette **impuissance reconnue** qui attirait la Puissance inconnue de Dieu. Nous avons admis cela; nous avons consenti à ce que Dieu nous change parce que c'est cela le Désir de

Dieu et ce Désir de Dieu est toujours notre plus grand bonheur même si on ne le voit pas toujours. C'est Dieu qui donne la Grâce de nous reconnaître pour ainsi nous transformer. Nous ne pouvons rien seul et tout ce qui se fait en nous, toute énergie pour agir, tout désir de liberté, toute capacité de gagner notre vie et de travailler, tous les talents qui sont en nous (mais, pas **à** nous), tout cela est l'œuvre de Dieu de A à Z. La Présence divine est là avant que nous arrivions et elle n'a pas besoin de nous pour semer toutes ces intentions, désirs et projets. C'est **après coup** que nous les découvrons.

Mais la Grâce ne peut nous changer de force. Il faut le consentement. Il faut que le OUI soit dit, de tout notre cœur. Et il faut que le OUI soit continu, pour chaque heure de la journée. Il faut que notre volonté cède complètement à la Volonté de Dieu. Il faut accepter, à chaque moment, le fait évident que nous ne pouvons rien faire seul, sauf nous enfermer dans la prison du petit Moi et souffrir l'enfer.

C'est nous qui nous faisons souffrir, ce n'est pas la vie ni les événements ni même les autres. Il faut donc regarder ce qui cause nos souffrances pour nous en libérer. Ce qui nous fait souffrir, c'est notre refus de la vie et de nous-mêmes. On cherche le bonheur ailleurs, toujours ailleurs, dans un avenir qui n'existe pas; on cherche un bonheur qui n'existe pas. **Car si on cherche le bonheur, avouons-le, c'est qu'on est malheureux en ce moment même et aussi longtemps qu'on le cherche.**

Le malheur vient de ce qu'on cherche autre chose, toujours autre chose, qu'on est toujours contre la vie, jamais pour elle. On rejette tout ce qu'on a vécu; on rejette ce qu'on vit actuellement; on s'est habitué à dire NON tellement profondément que tout notre être est devenu comme un rejet, un refus total, comme une nourriture qu'on ne peut plus digérer.

Et comme on ne peut être heureux dans ce qu'on est, dans ce qu'on a, on cherche à être heureux dans ce qu'on n'est pas, dans ce qu'on n'a pas. On cherche dans la fuite, dans un demain, dans une promesse qui ne se réalise jamais. Pour la simple raison que le bonheur, c'est d'être complètement uni à ce qui arrive, à ce que l'on est, à ce que la vie nous donne à cet instant même. C'est d'être accordé pleinement à soi.

Le bonheur ne se trouve que dans le présent. Et Dieu est dans le présent seulement, un Présent éternel. Il n'est pas dans le passé ni dans l'avenir puisque les deux n'existent pas : le passé n'est plus, l'avenir n'est pas encore. Nous croyons que le passé et l'avenir existent réellement, mais ils existent seulement dans le présent : par le souvenir (passé), par la projection (avenir).

Ce que l'on a cherché dans l'alcool ou dans d'autres dépendances, c'est trouver du «bonheur» futur en échappant au «malheur» passé. **Mais on ne peut fuir ce que l'on est.** Fuir, c'est aller toujours vers plus de malheur. C'est se séparer de plus en plus de soi, être de plus en plus en guerre avec soi-même.

Le bonheur n'a rien à voir avec le plaisir. Ce qu'on cherche dans l'alcool et les autres fuites, c'est vraiment **le plaisir,** l'exaltation, l'oubli, la paralysie de nos malheurs. Mais on a tôt fait de retomber dans le contraire du plaisir. Plaisir et déplaisir forment un couple (très fidèle d'ailleurs!), un couple comme lumière/ombre, gauche/droite, avant/après, bien/mal, masculin/féminin, attraction/répulsion, naissance/mort.

On ne peut jamais avoir l'un sans l'autre. Le plaisir est ce qui nous attire, le déplaisir ce qui nous repousse. Ainsi, l'attraction des plaisirs est toujours liée à la répulsion des déplaisirs. Dans les coups de foudre et dans la passion romantique, en général, il y a toujours attraction accouplée à la répulsion (c'est souvent le seul vrai couple qui existe). C'est cela qui fait que les passions amoureuses peuvent être si orageuses et qu'elles peuvent finir par le conflit ou même par le crime passionnel. Il n'y a pas d'amour dans la passion, il y a simplement l'attraction/répulsion. Car l'attraction appelle toujours son contraire, la répulsion, et lorsqu'on n'est plus attiré, on repousse et quand on n'est pas attirant, on est repoussé.

Il est à noter qu'on ne dit jamais un crime **amoureux,** mais un crime **passionnel. Car l'amour vrai ne connaît pas de contraire.** Ce qui s'oppose à la haine et qui fait avec elle un couple, c'est l'attachement, la possessivité, la dépendance.

Le couple attraction/répulsion remplit la vie des amoureux; ce qui fait qu'une fois l'attraction, l'appétit pour l'autre et l'attachement à l'autre enfin épuisés, c'est le contraire qui s'installe : on déteste, on rejette jusqu'à vouloir détruire.

Dans la vie, tout est relié. On doit accepter la vie comme un tout indivisible. On doit remettre sa vie à Dieu complètement et cesser de penser qu'on peut vivre séparé de Lui.

Nous ne serons jamais parfaits. Le but n'est pas d'être parfaits, mais d'aimer; de s'aimer assez pour que rien ne nous dérange dans notre vie, dans la vie qui nous entoure. Et cet amour est déjà en nous. C'est cet amour qui nous a lancés, c'est cet amour qui nous attendait quand, au plus creux de notre peine, nous avons reconnu notre faiblesse et que nous avons tout abandonné au Maître de nos vies. C'est Dieu qui nous attendait; c'est Lui l'Amour en nous, le Pardon, l'Accueil, l'Ouverture à la vie, l'Humilité devant la vie.

Non, sur terre, il n'est pas question d'être parfait. Tout le monde cherche à être quelqu'un d'autre, à se fuir; tout le monde veut devenir quelque chose d'autre : maigre, riche, célèbre, reconnu, admiré. Chacun souffre de ce que j'appelle le «complexe olympique», pensant qu'il sera heureux lorsqu'il sera devenu quelqu'un d'autre, qu'il aura changé certaines choses qu'il n'aime pas en lui. On voit le bonheur dans l'avenir et on pense que le bonheur c'est d'être parfait et d'avoir tout ce que l'on désire, tout ce qui nous manque, tout ce qui nous ferait plaisir et nous sortirait enfin de ces déplaisirs insupportables, de cette vie de misère et de souffrance. On pense vraiment que le bonheur viendra un jour, dans un avenir lointain. DEMAIN, MAÑANA. On a cru cela et c'est justement cette croyance qui nous a menés à notre perte. (J'ai écrit un mini-livre uniquement sur la question du «complexe olympique» : *Vivre imparfait,* chez le même éditeur.)

Certains de nos défauts peuvent disparaître à mesure que l'on mûrit, que l'on apprend à se connaître et, surtout, à mesure que l'on reconnaît les agissements du Moi. Telles sont les habitudes d'orgueil, de colère, d'impatience, de superficialité ou d'inconstance. D'autres défauts peuvent prendre plus de temps à partir et certains ne disparaîtront peut-être jamais totalement comme, par exemple, une timidité extrême, une tendance à beaucoup parler ou à trop dépenser. (Cette dernière est souvent corrigée tout naturellement lorsque l'argent commence à faire défaut!)

Les conditionnements et défauts de caractère, lorsqu'ils sont pleinement et profondément acceptés, commencent à diminuer. Si, en plus, on regarde ses agissements, mais sans vouloir les changer, sans les juger, sans les condamner – ce qui, comme nous l'avons vu, est très important –, ils finissent par changer spontanément. Cela peut se faire, chaque jour, en s'asseyant dans une chaise, en se fermant les yeux pour ensuite regarder tous les excès qui nous apparaîtront de notre passé ou ceux qui se manifestent dans le présent. (Il ne faut pas oublier que tout se tient en nous et que, lorsqu'on travaille sur un aspect, tous les autres sont touchés.)

La grâce d'avoir reconnu notre impuissance et d'avoir reconnu que Dieu seul est puissant est le début d'une transformation qui peut nous mener vers une liberté et un amour complets et durables. Dans la mesure où nous nous rappelons toujours que nous ne pouvons rien faire seul et que Dieu peut tout en nous, les choses changeront progressivement en nous et pour nous. Nos faiblesses vont devenir nos forces; notre échec va nous donner le courage de voir les choses en face; notre illusion brisée va nous apprendre à voir les choses telles qu'elles sont, à cesser de «rêver en couleurs». Nous vivrons, de plus en plus, dans le vécu quotidien, dans l'instantané, dans les FAITS et, de moins en moins, dans l'imaginaire, la fuite, les fabrications mentales. Nous serons de plus en plus éveillés, de plus en plus à l'écoute de notre corps, de la vie, des autres, de notre environnement. Nous serons accordés.

LEÇON 7
septième étape
(Rappel : je ne peux rien seul, mais Dieu peut tout en moi)

Nous Lui avons humblement demandé de faire disparaître nos déficiences.

Tout peut arriver dès que nous sommes disposés à recevoir, dès que nous reconnaissons que ce n'est pas nous qui menons, que nous n'avons aucun pouvoir par nous-mêmes et que, en réalité, nous n'existons pas séparés de Dieu, qui est notre Source nourricière continuelle.

Si nous gardons cette attitude d'humilité et que nous n'exigeons rien de la vie, que nous n'attendons rien, mais que nous laissons Dieu nous donner ce qu'Il veut bien, Il nous donnera tout ce qu'il nous faut. Il s'agit de laisser agir Dieu et de ne plus marchander avec Lui; il s'agit de nous laisser conduire **là** où Il le veut, **quand** Il le veut et **comme** Il le veut. Nous n'avons plus rien à dire : Dieu s'est emparé de notre vie, nous Lui avons remis le gouvernail, car seuls nous étions perdus au milieu d'une mer en furie.

On peut demander ce que l'on veut à Dieu, mais Il ne répond pas aux demandes où il y a du marchandage. Il ne répond pas non plus aux demandes de choses secondaires, superflues ou inutiles. Si on marchande avec Lui, c'est qu'on n'a encore rien compris; c'est qu'on a oublié comment on était faible et désespéré lorsque la Grâce nous a touchés, relevés et guéris. **On ne marchande pas avec quelqu'un qui nous a sauvés.**

Mais, bien sûr, on a la mémoire courte. Les habitudes reprennent vite le dessus. Une habitude, c'est une erre d'aller, un élan qui vous pousse comme un train à 200 km à l'heure et qu'on veut freiner d'un seul coup. C'est aussi comme un ventilateur dont on pousse le bouton d'arrêt, mais qui continue de tourner encore un peu. C'est ainsi pour l'habitude qui s'appelle le Moi, l'habitude de penser que c'est nous qui contrôlons la vie, qui la possédons, que nous sommes vraiment importants, que nous sommes quelqu'un, le centre du monde. L'habitude de croire que c'est nous qui agissons. En exigeant quelque chose de Dieu, c'est qu'on a oublié qui est le Maître de la vie.

Si nous avons quelque chose à demander, nous devrions le faire en nous rappelant notre impuissance en même temps que la Puissance de Dieu en nous. C'est par Lui que tout existe, que l'Univers fonctionne, que le corps fonctionne harmonieusement avec ses facultés : pensées, imagination, sensibilités, sensations, mouvement, énergie. Que voulons-nous de plus? Tout est donné d'un seul coup.

Dans l'Évangile, on suggère : *Demandez et vous recevrez*. Mais qu'est-ce qu'on doit demander? La réponse est donnée : *Cherchez le Royaume de Dieu et le reste vous sera donné en surplus*. Le Royaume de Dieu, c'est l'union parfaite avec Sa Volonté et le «surplus», ce sont les choses «en bonus». De quoi avons-nous besoin le plus? C'est de comprendre que nous ne sommes pas nos faiblesses et nos impuissances, que notre vraie force, notre vraie Nature est Celle de Dieu, que c'est la Conscience divine qui est notre vraie Valeur, cette

Chose qui ne meurt pas, qu'on ne peut voir ni posséder, mais qui est constamment en arrière-plan, qui nous inspire, nous anime, nous porte et nous éclaire. C'est comme l'architecture d'une maison : Dieu en est la base, le Fondement sur lequel tout s'appuie, duquel tous les autres étages dépendent.

L'Évangile le dit : *Que Ta Volonté soit faite et non la mienne*. C'est la Volonté de Dieu – c'est-à-dire TOUT ce qui nous est arrivé et tout ce qui nous arrive à chaque instant – qui est **ce dont nous avons le plus besoin.**

S'il y a quelque chose à demander, c'est que notre cœur s'ouvre et dise OUI à tout; c'est que nous nous abandonnions complètement; c'est que nous soyons vidés de nous-mêmes, en paix avec notre corps et notre vécu, unis à cette Source qui nous habite et qui agit sans nous, mais en nous.

Le bonheur que nous cherchions et cherchons toujours, c'est l'UNION : l'union à nous-mêmes, l'union à la vie, l'union aux autres; c'est-à-dire Dieu. Si nous sommes attentifs uniquement à ce que Dieu veut, nous verrons très tôt que Dieu répond à tous nos désirs légitimes. Mais nous devons commencer par dire OUI à tout ce qu'Il nous donne et à tout ce qu'Il nous enlève. Si nous comprenons cela vraiment, rien ne peut désormais nous faire du tort et rien ne peut nous manquer.

Une fois qu'on est complètement ouverts, abandonnés, sans prétention, sans orgueil, alors l'humilité dans notre cœur va attirer, comme un aimant puissant, toutes les choses qui nous sont favorables. C'est l'ouverture à ce qui est – comme un vide, un vacuum, un aspirateur – qui attire les bénédictions, les lumières et les grâces. Cela peut se présenter sous forme de personnes qui nous aideront, de livres utiles, éclairants et soutenants, d'expériences qui nous font voir la Lumière, d'une douceur qui envahit notre cœur d'une joie constante. Les autres choses – auto, richesses, possessions, pouvoir, succès, réussites, reconnaissance, amour – viendront si elles sont nécessaires pour avancer, pour nous libérer de nos passions égoïstes, pour atteindre la sérénité. Mais elles ne viendront pas simplement parce qu'on les veut; elles ne viendront pas pour répondre à un caprice. Car le caprice fait partie de notre infantilisme, de cet infantilisme qui nous faisait vivre sur un nuage et qui a causé notre chute.

Et nos déficiences, dans tout ça? Nous pouvons demander qu'elles nous soient enlevées. Oui, si nous le demandons humblement, c'est-à-dire en ajoutant avec sincérité : «Que Ta Volonté soit faite et non la mienne.» Mais pas de marchandage du genre : «Enlevez-moi ça et je vous promets que...» Pas de promesses et de résolutions: ces choses ne touchent pas Dieu. Il y a une intention d'obtenir derrière tout cela. Le cœur n'est pas pur. Non, la Bonté de Dieu ne se marchande pas : **Elle donne tout, mais demande également tout.**

Si on remet tout ce qu'on est, tous ses désirs et ses vouloirs dans les Mains de Dieu, Il nous comblera au-delà de ce que nous espérons. La meilleure attitude est donc d'accueillir plutôt que de demander. Du reste, Il nous a déjà comblés en nous amenant dans les A. A. C'est là une grâce qu'il ne faudra jamais oublier. Tout commence là et tout y est contenu : la Lumière nous a frappés, touchés et éclairés, à ce moment-là, et c'est là qu'a commencé une nouvelle vie, une vie désormais consacrée à la Volonté de Dieu, à Son service, à l'oubli de soi, au don de soi, à l'abandon complet de sa vie.

En somme, les déficiences se perdront si Dieu le veut. Que l'on ait des désirs d'être délivrés et débarrassés de choses encombrantes, cela est naturel. Mais, avant tout, qu'on ait comme premier désir, comme seul désir important, la Volonté de Dieu, voilà ce qui est essentiel. C'est cela seul qui nous délivrera de la racine de tous nos malheurs : notre volonté propre, notre petit Moi mesquin. C'est le Moi, ne l'oublions pas, qui nous a fait chuter, qui nous a perdus et qui est toujours prêt à reprendre sa domination.

Aussi longtemps que nous restons dans l'humilité, il n'est rien que le Courant divin ne puisse faire en nous et par nous. Être humble, c'est s'enlever du chemin afin de permettre à Dieu de tout faire.

Sans Moi, dit Dieu tout au long de la Bible, *sans Moi vous ne pouvez **rien** faire.*

LEÇON 8
huitième, neuvième
et dixième étapes
(Rappel : je ne peux rien seul,
mais Dieu peut tout en moi)

Nous avons dressé une liste de toutes les personnes que nous avions lésées et avons consenti à leur faire amende honorable.

Nous avons réparé nos torts directement envers ces personnes partout où c'était possible, sauf lorsqu'en ce faisant, nous pouvions leur nuire ou faire tort à d'autres.

Nous avons poursuivi notre inventaire personnel et promptement admis nos torts dès que nous nous en sommes aperçus.

Ces étapes comprennent l'**admission,** la **définition** et la **réparation** des torts.

Il est important de nettoyer son passé au complet, dans tous ses aspects. Plusieurs étapes (1, 2, 3, 4, 5, 6 et 11) traitent de la mise en ordre de sa propre personne devant Dieu, alors que les autres (8, 9 10 et 12) concernent avant tout la mise en ordre par rapport aux autres personnes. Cela regarde nos relations personnelles, nos devoirs de réparation, notre désir de donner ce que l'on a reçu, de dire à Dieu notre reconnaissance en demandant pardon aux autres. Le pardon demandé n'est pas un acte triste, mais un acte joyeux, un acte qui vient d'une délivrance, d'une guérison, d'une renaissance.

Il est bon de dresser une liste de tous ses actes et de ses comportements déréglés et offensifs. Que la liste soit la plus détaillée possible afin d'être exhaustif et de n'avoir pas à revenir indéfiniment sur le passé. Si l'on a, d'un seul coup et en une seule fois, vraiment et totalement accepté tout son passé, il est liquidé, il disparaît, on en est libéré. Mais si on ne dit pas un OUI franc et entier, seulement un OUI paresseux et hésitant, résigné, un non-oui, alors nous allons traîner notre passé derrière nous comme un boulet, comme un mal de cœur qui ne s'en va plus.

Devant chaque personne lésée (que ce soit mentalement ou physiquement), nous pouvons indiquer avec précision et non de façon vague ce qui a été commis, ce dont la personne en question a souffert. Ensuite, une fois que la totalité des victimes est établie, nous pouvons alors faire amende pour nos manquements. Il ne faudrait pas voir ces actes passés comme du mal, comme si nous étions méchants, mais davantage comme des erreurs, des manques de jugement, des absences d'intelligence et de responsabilité. La cruauté est venue plutôt de ces manquements et de ces déficiences. Il est en effet capital de ne pas s'en vouloir, de ne pas se détester, de ne pas développer, couver ou installer remords ou culpabilité. Il s'agit tout d'abord de **voir** clairement ce qui s'est passé, ensuite d'admettre, d'**avouer** que c'est nous qui l'avons fait pour, enfin, **demander pardon** à la personne ou aux personnes lésées si cela peut se faire commodément pour tous. Mais surtout, **se pardonner soi-même** en présence de Dieu et en se plaçant mentalement devant tous les gens blessés.

Les remords et la culpabilité ne donnent rien et ne peuvent jamais aider. C'est de l'énergie perdue à vouloir se punir et à se détruire. Il faut rester dans les FAITS et non se mettre à fabriquer des commentaires, des analyses, des accusations infinies, des dégoûts de soi, des rejets de sa vie. Tout cela, c'est de l'énergie et du temps qui pourraient être occupés à des actes constructifs, positifs et utiles.

Nous nous apercevrons que nous sommes inséparables des autres et que tout le monde est dans le bain. Ce n'est pas le temps de dresser une liste des coupables ou de déterminer le degré de culpabilité de chacun même si on sait que personne n'est innocent parmi les humains. Nous devons plutôt nous voir comme faisant partie de tous les autres, voir que les autres c'est aussi nous-mêmes et que, en faisant du tort, nous avons nui aux autres tout comme en faisant du tort aux autres, nous nous sommes nui à nous-mêmes. On n'existe pas seul, on n'est pas heureux seul et on n'est pas, non plus, malheureux tout seul. Comprendre simplement cela avec ses tripes est un pas énorme de franchi.

Une fois les torts admis, nous devons les réparer, mais, là encore, il faut être réaliste et ne pas penser que si on n'a pas posé des gestes de réparation visibles et vérifiables par tous, que c'est raté et qu'on en est, par conséquent, coupable. **La plus grande et la plus profonde réparation se fait par le passage de la haine au pardon, du non au oui, du refus à l'accueil.** Cela se fait dans le cœur et c'est là l'essentiel. Si cela n'est pas fait, les autres gestes qui suivent sont des gestes de robot, des gestes pour la forme ou parce que c'est écrit dans les étapes. Mais si le geste part du cœur, alors les actes qui suivront seront valables et authentiques. Il ne faudrait donc pas perdre le sens des priorités : soyez bien avec vous-même tout d'abord; faites la paix avec vous;

cessez de vivre en guerre intérieure; accordez-vous à votre passé, à votre vécu, et tout le reste pourra alors se faire dans l'équité, la vérité et l'efficacité.

Le regard porté sur ses faiblesses, ses manquements et ses torts doit être un regard de miséricorde, de pardon entier, d'une absence totale de jugement/condamnation. **On n'est pas ici dans une cour d'assises.** Tout jugement appartient au monde du Moi; c'est ce monde qui nous a fait chuter dans la déchéance. À force de se juger, on est devenu exécrable, affreux, laid et insupportable. C'EST LE JUGEMENT SUR SOI ET SUR L'ACTE QUI CRÉE LA CULPABILITÉ; CE N'EST PAS L'ACTE LUI-MÊME.

Le jugement est une coupure entre soi et l'acte; c'est une séparation d'avec soi-même. Si le bonheur consiste à être de nouveau uni à soi, le malheur, c'est d'être divisé de soi, d'être en guerre contre soi. Et c'est là la malédiction du jugement.

C'est une fois pour toutes que l'on fait l'inventaire, l'admission de ses manquements et la réparation de ses torts. On ne répète pas une confession générale, autrement elle n'était pas vraiment complète. Il n'est pas nécessaire de passer des mois ou des années dans ces trois étapes. Mais pour cela, il faut que ces actes soient exhaustifs et profondément sincères. On n'a pas à y revenir en se rappelant son «mauvais» passé, en retournant le fer dans la plaie, en se rendant malheureux et misérable.

Reconnaître son impuissance devant Dieu est un acte d'humilité; ce n'est pas un acte punitif, une pénitence, un geste qui rejette et condamne. Au contraire, nous sommes heureux de revoir tout cela et de le redire aux autres, de demander pardon. C'est une réconciliation, un geste de rassemblement, de réunion, de communion, de bonheur, de joie et de gratitude. Le mal est passé, c'est justement cela la grande nouvelle. Nous voyons tout cela d'un regard changé, neuf, différent.

Les confessions ou les partages qui se font dans les rencontres des A.A. sont une grâce accordée à la fois à celui qui se met «au blanc», qui met son âme à nu, et également à ceux qui écoutent. Il y a ici un raccordement, une réparation, un retour dans l'unité du groupe, une mise en commun qui est le sens du mot «partage». Dans ces partages, on devrait justement voir très clairement les deux aspects de la transformation que l'on a traversée : l'**aveu** d'impuissance (lorsque laissés à nous-mêmes) et la **reconnaissance** de la Puissance de Dieu en nous. L'impuissance de l'être humain est inséparable de cette Puissance du Maître de la Vie.

En effet, si l'on passe son temps à parler de sa misère, de son malheur, de sa déchéance, c'est la moitié de la vérité. Il y a deux volets à reconnaître : tout d'abord, notre impuissance lorsque laissés à nous-mêmes et, ensuite, la puissance qui vient lorsqu'on s'est remis à Dieu.

Parler des malheurs et des souffrances n'a de réelle valeur que si on les voit et qu'on les présente comme des signes, des preuves de notre impuissance lorsque nous étions séparés de Dieu; **mais c'est la réunion à Dieu et à soi-même qui donne son sens à tout ce parcours.** Autrement, cela peut être simplement de la commisération : on se prend en pitié et on peut même se complaire dans sa misère exemplaire. Par conséquent, une fois que l'on a éclairé tout ce récit par l'admission, la reconnaissance, la découverte que l'on est impuissant lorsqu'on est enfermé dans le Moi, il faut rétablir un autre fait : que Dieu nous a trouvés, touchés et guéris de Sa main toute-puissante. Il y a, d'une part, l'**humilité humaine** et, d'autre part, l'**Amour divin** qui nous guérit et nous rend à nous-mêmes. Les deux forment un seul tout qui s'appelle la nouvelle naissance. En effet, quelle valeur aurait notre vie sans la Grâce de Dieu?

De même, lorsque chacun se présente pour faire des annonces, un partage ou une lecture, il reprend la formule : «Je m'appelle Jean ou Jeanne et je suis alcoolique.» Cela est vrai, mais, en réalité, c'est la moitié de la vérité : il ne faudrait pas croire que c'est tout ce que l'on est vraiment. C'est un peu comme si on disait, dans la première étape : «nous avons admis que nous étions impuissants devant l'alcool» et qu'on en restait là. La suite vient à la deuxième étape et nous montre que le fait de reconnaître une «Puissance supérieure» est inséparable de l'admission d'impuissance. **Car c'est la Puissance de Dieu**

**qui tout d'abord nous a fait reconnaî-
tre notre impuissance.**

Ainsi, en disant «je suis un alcolo»,
on laisse de côté une moitié importante,
peut-être même plus qu'une moitié :
«Mais Dieu m'a touché de Sa main
toute-puissante et m'a fait voir la Lumière et voici comment désormais je
vois la vie.» Car s'il est vrai que «je suis
un alcolo», on peut se demander quelle
partie de soi-même est ainsi. Une partie
de moi est alcoolique, mais une autre est
lumineuse et libre. Il y a une partie qui
est prisonnière de l'alcoolisme et une
autre partie qui le reconnaît. La partie
qui est alcoolique, c'est le petit Moi, la
petite conscience, étroite, prétentieuse,
peureuse, dépendante. C'est cette partie
qui nous a précipités dans l'abîme (et
qui nous attire encore par l'inertie de
l'habitude). Mais la partie qui reconnaît
cette situation n'est pas le petit Moi,
c'est la partie qui a été touchée par

Dieu, c'est la Grande Conscience, sans laquelle il n'existerait rien.

Car la petite conscience ne peut jamais se reconnaître. Seuls un choc terrible, un désespoir, une expérience désastreuse pourront la secouer et éveiller en nous l'humilité.

Lorsqu'on reconnaît sa prison, on en est déjà libéré;
lorsqu'on reconnaît son orgueil, on est déjà du côté de l'humilité;
lorsqu'on reconnaît ses comportements, on en est déjà sorti;
lorsqu'on reconnaît sa haine ou sa colère, on est déjà dans l'amour;
et lorsqu'on se reconnaît alcoolique, on en est déjà sorti, du moins, fondamentalement.

Une autre force a pris le dessus; une autre direction est donnée à sa vie; une autre vision est reçue; on regarde déjà différemment, on s'en va déjà dans une autre direction. Le cap a changé. La vérité, c'est qu'aussi longtemps qu'on sera sous la domination du Moi, l'alcoolique sera là, mais que si on reconnaît le Moi et qu'on voit qu'on est plus grand que cela, on peut dire alors : «Oui, j'ai été dominé par le Moi, mais Quelqu'un d'infiniment plus grand et puissant a dominé ce Moi et va m'en libérer définitivement.»

On oublie que le fait de pouvoir dire «je suis alcoolique» est déjà une grâce et non une condamnation. Ce n'est pas le petit Moi qui dit cela, puisque c'est lui qui nous a conduits en enfer. C'est la Grâce toute-puissante qui nous permet de nous avouer et d'affirmer cela; c'est Elle qui dit cela en nous. Mais on pourrait quand même ajouter intérieurement, après avoir dit «je suis un alcolo» : «Oui, mais Dieu en moi est tout-puissant et me libère chaque jour davantage.»

On continuera, bien sûr, de dire «je suis alcoolique» parce que l'abîme que nous avons connu nous attire encore par la force de l'habitude et que cet aveu réitéré nous maintient en garde. Mais il est certain que si, plutôt que d'insister sur le négatif, nous insistions davantage sur ce que nous sommes dans notre côté positif – la lumière, la joie, l'amour –, c'est-à-dire tout ce que la Grâce de Dieu fait sortir en nous, il est possible justement que ce soit le côté lumineux, libre et aimant qui prenne le dessus et se manifeste de plus en plus.

«Je suis impuissant par moi-même, mais la Toute-Puissance de Dieu me soutient, m'envahit et me transforme. Mon passé a été ténèbres, mais la Lumière de Dieu m'a fait reconnaître mes ténèbres et maintenant commence la grande montée vers la Lumière et la Liberté.»

LEÇON 9
onzième étape
(Rappel : je ne peux rien seul, mais Dieu peut tout en moi)

Nous avons cherché, par la prière et la méditation, à améliorer notre contact conscient avec Dieu tel que nous Le concevions, Lui demandant seulement de connaître Sa Volonté à notre égard et de nous donner la force de l'exécuter.

Mon «contact conscient» avec Dieu tel que je Le conçois. Depuis que j'ai reconnu mon impuissance et fait appel à la Toute-Puissance de Dieu, ma vie a recommencé sur une nouvelle base : l'humilité et la Grâce de Dieu. Cela veut dire que les priorités ont changé. Ce qui était de première importance, autrefois, est maintenant de moindre importance et deviendra sans importance avec le temps. Et ce qui était autrefois négligeable va être de plus en plus au premier plan et éclipser tout le reste.

L'aventure de la vie, l'aventure des A. A., est un cheminement spirituel. C'est-à-dire que, une fois l'aveu d'impuissance bien ancré en nous et dans notre quotidien en même temps que l'abandon complet à cette Puissance que nous ne pouvons nommer, mais sans laquelle on n'est rien, une fois ces deux choses solidement en évidence, nous verrons que l'abstinence n'est pas le but final d'une vie humaine. Que l'on soit dépendant de l'alcool, des jeux de hasard, du sexe compulsif, des religions nouvelles, du travail forcené, des drogues dures ou que l'on soit dépendant vis-à-vis de certaines personnes, tout cela est un blocage qui nous empêche d'écouter Dieu, de faire Sa Volonté, d'être libre. Tout cela est le royaume du Moi, un royaume d'esclavage, une recherche de sécurité introuvable à l'extérieur, une peur de vivre et de mourir, un besoin de fuir continuellement l'insupportable.

On s'est enfermé dans le royaume du Moi prétentieux qui est un monde de malheur, d'insatisfaction et de souffrance continuelle. C'est le royaume de l'imaginaire qui est toujours ailleurs dans le temps et l'espace. Alors que le Royaume de Dieu, c'est le moment présent, c'est le monde des faits, des choses vivantes et réelles : le monde qui nous confronte sans arrêt. Le Moi fuit cette réalité factuelle et se fabrique un univers qui contredit les faits et s'en évade. Il voudrait supplanter les faits en fuyant dans le *wishful thinking* : la pensée qui construit des rêves et des projections dans l'avenir.

Lorsqu'on avance sur le chemin de la Connaissance de soi, on découvre que ce n'est finalement pas l'alcool ou l'excès de travail qui est le mal profond, l'obstacle primordial. C'est le MOI. Le Moi se sert des instruments de l'organisme (intelligence, mémoire, imagination) pour se créer une sécurité et contrôler la vie selon son désir. Mais tous ces instruments qui, en soi, sont neutres, le Moi s'en empare et en fait ses instruments à lui, des instruments pour fuir et se mentir. Le Moi se sert de tout pour se sécuriser, pour se justifier, pour contrôler, pour être le centre de tout. Il se sert de la pensée pour fabriquer un monde idéaliste de fuite et d'illusion; il se sert de l'émotion pour s'attacher à ce qu'il aime et veut et aussi pour se prendre en pitié ou se punir si ça ne va pas à son gré. Il se sert du corps pour oublier en le droguant, en le «gelant», en le paralysant. Il se sert également de tout ce qui arrive, de tout ce qui lui tombe sous la main; il se sert des aventures, de ses talents et des personnes rencontrées dans le but de se bâtir un château fort qui s'avère un jour un château de cartes ou de sable. Mais il ne faut surtout pas le dire, le voir ou s'en rendre compte : il faut entretenir l'illusion et s'enlever les moyens de l'apercevoir. Telles sont l'habileté, la ténacité, l'hypocrisie du Moi.

La récupération par le Moi

Quelqu'un que je croisais dans la rue me dit, l'autre jour :
«Vous savez, j'ai à mon actif vingt ans de sobriété, moi.» Et j'ai répondu : «Oh! Merveilleux, mes félicitations!» Remarquons bien ce qui se passe. La personne a connu un éveil à partir du moment où, du fond de sa déchéance, elle a crié vers

Dieu son impuissance à s'en sortir seule. Elle a commencé à travailler sur elle. Et avec la routine de la vie et l'habitude de reposer les mêmes gestes, elle a fini par oublier le premier moment : son Moi a repris sa place petit à petit; elle a fini par reprendre le gouvernail; elle a cru de nouveau que **c'est elle qui agissait.** Telle est la force du Moi.

Or, le Moi peut demeurer même après que l'on ait cessé de boire. Il peut même s'en servir pour se glorifier, se gonfler, se trouver fort et important : «**J'ai** vingt ans de sobriété, **moi.** Voyez comme je suis bon, comme je suis quelqu'un tout de même : après tout, c'est un tour de force!» Le Moi se félicite et s'arrange pour être félicité. On est reparti dans le cinéma d'autrefois. Car la bête noire, c'est le MOI, et non l'alcool ou l'alcoolisme.

Attention à l'activisme, au besoin de s'agiter, de toujours faire quelque chose, d'être toujours avec quelqu'un, de toujours planifier, organiser quelque chose pour plus tard. Le Moi ne peut accepter de rester tranquille et d'avouer que ce n'est pas lui qui fait quoi que ce soit. Apprenons à écouter simplement, à rester tranquille, à rester seul et en silence. C'est la meilleure façon de voir combien on résiste au lâcher prise et jusqu'à quel point on est incapable de s'abandonner. *Sois tranquille,* dit Dieu dans la Bible, *sois tranquille et sache que Je suis Dieu.*

Ce Moi est donc le véritable obstacle et, aussi longtemps que l'on n'a pas reconnu et dévisagé le Moi, on pourra arrêter de boire ou de jouer à l'argent, mais ça recommencera de cette même façon ou d'une autre. Car le Moi est comme du chiendent : si on ne l'arrache pas entièrement, il va toujours repousser. La pire illusion, c'est de croire que le Moi est parti et qu'on s'en est libéré.

(C'est là justement un des «trucs» du Moi, et un de ses plus habiles.) Cela ne peut évidemment pas se faire par nous, par nos propres forces, par le Moi lui-même. Nous sommes complètement contaminés par le Moi : il s'est imprégné dans toutes les parties de notre être. C'est pourquoi la seule façon d'en venir à bout, de le déraciner, c'est de laisser monter la Grâce en nous, laisser faire l'action de Dieu, la Présence et la Puissance de Dieu et s'abandonner complètement à Son action guérissante et ne pas prétendre un seul instant que «c'est moi qui vais m'en sortir par l'effort et le travail.» (Plus loin, dans ce chapitre, je proposerai une façon concrète de regarder et de reconnaître les manigances et les comportements du Moi.)

La Connaissance du Moi vient de Dieu. La petite conscience qu'on appelle le Moi est entourée, incluse, comprise et énergisée par la Grande Conscience,

Celle de l'Éternel. Et c'est cette Grande Conscience qui, de plus en plus, doit remplacer la petite. L'abstinence est la première conquête de la Grâce. C'est le premier nettoyage nécessaire pour que la Grâce poursuive son œuvre, celle de nous laver complètement de tout retour sur soi et de nous allumer d'une nouvelle conscience, d'un nouveau Regard, Celui de Dieu. Ce Regard peut s'appeler Paix, Compassion, Pardon, Joie ou Sérénité, comme on veut. Mais, de toute façon, le Moi aura perdu ses illusions; il faiblira et perdra du terrain et, à un moment donné, l'émotivité cédera la place à la sensibilité du cœur. Les passions s'en iront, remplacées par la liberté et l'absence de désir et de manque. Par la Plénitude.

C'est ce que l'on cherchait vraiment, qu'on avait toujours cherché : le fils prodigue revient à la maison, rentre chez lui dans l'humilité; il est de nouveau uni à la Source, restauré dans son état originel, primordial, son état éternel d'avant la naissance. «Le Père et moi sommes UN.»

La prière

La prière la plus parfaite est un acte d'abandon complet à la Volonté de Dieu : «Que Ta Volonté soit faite et non la mienne.» C'est pourquoi, pour beaucoup de gens le *Notre Père* est une prière si puissante : elle est concentrée sur la Volonté de Dieu, la Place de Dieu, la Grandeur de Dieu, à Laquelle on soumet tout le reste. Une autre prière utile et fort répandue est celle de François d'Assise : *Seigneur, faites de moi un instrument de votre Paix...*

La prière est une demande active, un «contact conscient» avec Dieu, comme le dit la onzième étape. Mais il n'est pas question d'exiger quoi que ce soit de Dieu. On se met à Sa disposition, point.

On peut Lui exposer ses désirs, mais en finissant toujours par «Ta Volonté et non la mienne». Et à mesure que notre volonté disparaît pour laisser **toute** la place à Celle de Dieu, on va s'apercevoir qu'on n'a plus rien à demander : **tout ce qui arrive, c'est cela qu'on veut.** À ce moment-là, la Volonté de Dieu, c'est la nôtre. L'être est guéri de la souffrance, de la division, du désir.

La méditation

La méditation est une façon de se disposer à ce lâcher prise total. On pourrait – et dans la vie affolée et agitée d'aujourd'hui et surtout quand on a été ravagé par l'alcool, on devrait – autant que possible se réserver un temps d'arrêt dans la journée (15 à 20 minutes) où on s'assoit en fermant les yeux et où on se vide complètement de tout désir, de toute attente, de toute volonté d'obtenir quelque chose.

Il serait naïf de croire qu'il suffit d'assister de façon assidue à toutes les réunions des A. A. Il ne suffit pas d'écouter ce que les autres ont à dire. Il faut savoir écouter ce que Dieu a à dire. Et Il ne parle que dans le silence, pas un silence qui vient quand on a éteint la radio ou la télévision, mais un silence qui est écoute, humilité, ouverture du cœur : où on ne désire rien, où on se met complètement à la disposition de ce qui se passe à l'instant, qui est toujours la Volonté de Dieu. S'il est important d'écouter les humains partager et de partager soi-même, il est encore plus important de rencontrer le Silence au fond de son cœur. Autrement, on vit en surface.

Donc, après s'être assis et avoir fermé les yeux, on se vide complètement de tout désir, de toute attente, de toute volonté d'obtenir quelque chose ou de contrôler quoi que ce soit. Puis, on se met à observer le souffle, en suivant le mouvement de l'estomac qui monte et descend, monte et descend... simplement cette observation, cette attention ouverte, seulement suivre le souffle. Cela nous conditionne à recevoir tout de Dieu et de la vie et à cesser d'imposer à la vie et à Dieu nos caprices, nos exigences, nos désirs. Cela nous fera comprendre qu'il n'y a rien à obtenir, rien à atteindre, rien à devenir; qu'il s'agit de laisser Dieu nous porter, nous conduire. Tout est donné.

Après plusieurs semaines de cet exercice journalier, on peut varier l'approche. On va porter ce même regard ouvert et réceptif sur les sensations du corps. Pour plus d'efficacité, prendre une sensation à la fois. On remarquera ce qui s'y passe : une lourdeur, une fatigue, une tension, une douleur, une légèreté, du chaud ou du froid. On se placera devant chacune des cinq sensations : les

sons, les odeurs, le toucher de nos vête-
ments et de l'air, etc. (Quant à la vue, on
pourra passer quelques minutes sur un
banc public à simplement regarder les
animaux, les oiseaux, les arbres, le ga-
zon, sans commentaires, sans analyse,
sans nommer quoi que ce soit. Juste
voir.)

On apprend ainsi à ne plus forcer les
choses, à ne plus violenter les choses,
notre corps, la vie, les autres. Il est fa-
cile de faire violence au corps si on vit
dans l'émotivité et la volonté du Moi.
L'observation et l'écoute attentive du
corps développeront notre sensibilité
qui aura été fortement saccagée par l'alcool qui viole et paralyse.

On pourra également regarder, observer sans juger les émotions qui sont
en nous depuis longtemps et que l'on
porte sans doute encore : la colère, la
haine, la jalousie, la culpabilité, la peur,
la vengeance, le désespoir. On laissera

monter les événements émotifs et les scènes de violence ou d'émotivité; on se verra agir ou on regardera simplement sa peur, sa tristesse; on restera devant sans rien faire comme lorsqu'on vient visiter un malade qui est dans le coma. On reste présent; on regarde sans juger, avec compassion, même avec tendresse. On laisse ces paquets d'énergie refoulée se déployer, monter en surface, s'exprimer, exister. En agissant ainsi devant les émotions, elles finiront par se dissoudre comme des bulles qui éclatent.

Laisser venir, laisser passer sans s'attacher, sans regretter. C'est cela, la liberté. Et la méditation est un acte de liberté, une attitude d'ouverture à tout ce qui est, à toute la réalité, à tous les **faits,** qu'ils soient agréables ou non.

On peut faire quelque chose de semblable avant de s'endormir : une fois déshabillé et étendu sur le lit, on pourra s'attarder à chacune des parties du corps, les laissant se déposer tranquillement. Laisser mourir également la journée, le passé, la vie vécue, et ne rien attendre de l'avenir, simplement tout céder, tout abandonner. Remettre tout cela dans la Grande Présence qui nous reçoit.

Au réveil, on fera le chemin à rebours : avant de devenir complètement conscient, on peut assister à l'éveil du corps et laisser celui-ci reprendre sa place, sa vie. En remettant tout le corps, tout l'esprit, tout son être à la Grande Présence, on est prêt à rencontrer la vie.

LEÇON 10
douzième étape
(Rappel : je ne peux rien seul,
mais Dieu peut tout en moi)

Ayant connu un réveil spirituel comme résultat de ces étapes, nous avons alors essayé de transmettre ce message à d'autres alcooliques et de mettre en pratique ces principes dans tous les domaines de notre vie.

Le réveil spirituel est la découverte que, seuls, nous sommes impuissants à être heureux, libres et en paix. C'est reconnaître que c'est la Grâce qui a tout fait, qui fait toujours tout : elle nous a fait connaître l'échec, la chute dans l'alcoolisme, même le désespoir, parce que ce n'est que là que nous pouvions comprendre; c'est là que notre éveil nous attendait. C'est là que la Lumière nous serait donnée, ce qui nous permettrait enfin de voir clair dans notre vie, de voir clairement qui nous ne sommes pas et ensuite qui nous sommes vraiment. La Grâce est autant sinon plus dans les épreuves que dans les réussites, autant, sinon davantage, dans les peines que dans les joies, dans les fautes que dans les bons coups, dans les humiliations que dans les moments de gloire et de célébrité.

La Grâce commence par nous laisser faire nos bêtises lorsqu'on est coupé d'elle. Elle nous laisse «tremper dans notre jus», nous laisse «poireauter», nous fait bien goûter à ce que l'orgueil et la prétention peuvent produire de souffrances, de malheurs et de désespoirs. Et, c'est à ce moment que, ayant atteint le fond de la misère, s'échappe le cri désespéré : «Aidez-moi! quelqu'un!» ou, pour certains : «Si Tu existes, Dieu, sauve-moi!» C'est alors qu'on voit sa misère, la misère du petit Moi écrasé, démuni, humilié. Reconnaître son Moi et comment il nous a rendus malheureux, c'est la Grâce de l'éveil. S'éveiller à notre être véritable, découvrir qui on est vraiment derrière tous ces écrans de prétention et d'illusion, se voir enfin dans sa vérité au-delà de tous ces mensonges entretenus si habilement. C'est le travail de la Grâce. **La Lumière éclaire les ténèbres et c'est alors que les ténèbres disparaissent.** Ce ne sont pas les ténèbres qui s'éclairent elles-mêmes!

On ne peut jamais se reconnaître, découvrir son mal, sa faiblesse, son erreur, par ses propres forces ou ses propres lumières. Voir son impuissance, c'est sortir de l'impuissance, c'est rentrer dans la Puissance de Dieu (qui ne juge pas notre impuissance; Il ne fait que l'absorber dans Sa Force). C'est être de l'autre bord, du côté gagnant, positif, lumineux, libéré. **Dès que nous reconnaissons que nous sommes faibles, la force revient. Dès que nous reconnaissons la colère en nous, c'est la douceur qui revient. Dès que nous reconnaissons la haine, c'est le pardon qui revient. Dès que nous reconnaissons notre prison, c'est déjà la liberté qui revient. Dès que nous reconnaissons notre désespoir, l'espoir est revenu. Dès que nous reconnaissons nos ténèbres, c'est déjà la lumière qui est revenue. Le nénuphar s'épanouit à partir de la boue acceptée, accueillie et aimée.**

J'ai bien dit que reviennent la force, la douceur, le pardon, la liberté, l'espoir et la lumière. Ils viennent de nouveau, car ils sont déjà là, au point de départ, dans l'arrière-fond de notre être. Le voyage que l'on a fait à travers l'enfer et la remontée vers la paix est un voyage en deux temps : on quitte un chez-soi, on y revient. On quitte la Source éternelle, le Bonheur, la Paix, la Sérénité qui nous a créés, qui nous a maintenus en vie, qui nous a accompagnés à travers notre «descente aux enfers» et c'est parce qu'Elle était déjà là qu'Elle est venue à notre secours. Toute la vie est un retour à la Source.

Pour ceux qui ont été élevés dans la foi chrétienne, c'est le retour au Père. L'histoire du fils perdu est une parabole que raconte l'Évangile pour résumer ce qu'est la vie séparée de Dieu et le retour vers l'union avec Dieu, le chez-nous de la paix et de l'harmonie. Le domaine de la SÉRÉNITÉ. Au début, le fils ne veut pas de cette sérénité; il veut avoir tout son héritage immédiatement; il veut quitter la maison paternelle; il en a assez, il veut faire ce qui lui plaît. Il veut jouir de la vie. Il part donc et, comme il est jeune et plein d'allant, il dépense tout son avoir dans des futilités. Il fuit son ennui, son malheur, sa solitude, en grappillant autant de plaisirs qu'il peut. Il se retrouve bientôt sans un sou, à «l'aide sociale»; il n'a plus de quoi se nourrir (la vie le dégoûte). Il s'engage dans une porcherie; on lui donne la nourriture des cochons (qui chez les Juifs étaient les êtres les plus dégradés, les animaux maudits, qui représentaient ce qu'il y a de plus bas).

Et c'est là, au plus bas de son être, au plus profond de sa déchéance, qu'il se **rappelle** son passé. Il se rappelle comment il a été bien traité chez son père. Il rentre donc en lui-même et reconnaît ses erreurs et ses illusions. Il regrette sa conduite, son ingratitude, son irresponsabilité, sa dissolution. C'est décidé : il retourne vers le père avec l'idée d'y travailler comme employé. Il renonce même à être fils. Mais le père ne le voit pas ainsi : il n'a pas cessé d'attendre son fils, d'être toujours avec lui. Alors que son fils est encore très loin, il le voit venir et fait aussitôt préparer un grand festin pour l'accueillir, pour retrouver celui qui s'était perdu. La joie dépasse toute tristesse, tout regret. La joie prend toute la place. C'est ainsi que Dieu perçoit notre remontée de l'abîme.

Mais cette histoire ne s'adresse pas seulement aux grands délinquants que nous étions : elle est l'histoire de chaque humain. La vie pour la plupart des gens n'est qu'une aventure d'égarement, où on croit trouver le bonheur dans ce qu'il n'est pas. On oublie qu'il est au fond de nous, qu'il est là dans notre prime enfance : dans l'abandon, la confiance, l'ici-et-maintenant, la joie, l'insouciance, l'émerveillement de l'enfance restée au fond de nous; qu'il est là aussi dans le sommeil profond, dans ce puits silencieux au-delà des rêves où on est uni à la Source du bonheur; et, enfin, qu'il parsème notre vie de petits éclairs, de petits *flashes* qui suscitent notre émerveillement spontané et immédiat comme devant les fleurs, les visages d'enfants, les petits des animaux, les paysages, les ciels étoilés, la mer, la neige, les œuvres d'art, les moments de paix.

C'est donc quelque chose qui nous précède et qui nous attend. C'est ce que l'Évangile appelle le Père. Le fils, c'est l'image du Père, Sa reproduction, Son écho, Son miroir : celui qui reçoit tout, qui accueille tout et dont la **reconnaissance** renvoie l'image de la **générosité** du Père. C'est la réceptivité en nous, la confiance, l'abandon, l'ouverture à tout.

Ce que nous cherchons, c'est le retour à la Source qui est toujours en nous. Nous nous rappelons certains moments de bonheur fugitifs, la paix au fond de nous, la capacité de nous ouvrir sans limites à la vie. Nous nous souvenons de Qui Nous Sommes vraiment, de ce Que Nous Avons Toujours Été et qui ne cessera jamais.

Grâce et gratitude

À un moment donné, le commentaire de la douzième étape dit : *Comme un don gratuit, on reçoit un nouvel état de conscience et d'être.* La vie est don gratuit, l'éveil est don gratuit et tout ce qui arrive est don gratuit. C'est le sens du mot «Grâce». *Tout est grâce,* disait Thérèse de Lisieux après tant d'autres.

Il y a trois choses à se rappeler ici. Tout d'abord : **Ce qui nous est donné doit être reçu avec reconnaissance**. Pas simplement les belles et bonnes choses, pas juste ce qui plaît et nous est agréable. TOUT. On remercie pour tout. On remercie tout le temps. Les petits bonheurs, les petits malheurs, les bons coups, les coups durs, tout. L'humilité est venue avec la reconnaissance de notre impuissance. Cette humilité, avons-nous dit, est le fondement de la nouvelle vie, de la vraie vie. Et la reconnaissance (la gratitude), c'est l'humilité vécue à chaque instant : c'est voir que rien n'est venu de nous, que rien ne nous appartient, que nous ne faisons strictement rien, que tout est un cadeau continuel du Courant de la Grâce. (Le mot «gratitude» vient aussi de «grâce» : c'est un acte **gratuit,** spontané, pour aucune raison, «pour rien». On remercie spontanément et gratuitement.)

Deuxièmement : **Ce qui est reçu doit être donné avec générosité.** La vie est un courant de générosité intarissable, d'amour sans attache, de don sans attente. La vie, c'est un courant qui se donne sans compter, sans condition, sans marchandage. Donner ce que l'on a reçu, car tout passe, rien ne demeure, tout nous coule de toute façon entre les doigts, tout est mouvement et rien ne doit resté emprisonné dans un coffre-fort, une banque, un frigo ou un cœur. Tout doit circuler.

La vie est aussi un courant paisible. Lorsque ce courant est agité et bousculé, cela est dû surtout à nos passions, à notre émotivité, à nos attentes, notre désir de posséder, notre avidité, notre impatience, notre souci pour l'avenir, pour le «demain», le «plus tard», pour «quand je serai heureux». Mais une fois que l'on a mené l'aventure de tout essayer, de goûter à tout, de tout vouloir, de tout posséder, on se retrouve les mains et le cœur vides : ce n'est pas ce qu'on voulait. Saint Paul le disait bien, il y a déjà 2 000 ans : *Je ne fais pas ce que je veux;*

je fais ce que je ne veux pas. En effet, on peut dire d'une grande partie de sa vie : *Ce n'est pas ce que j'ai voulu.*

Ce que veut notre être véritable et durable, c'est un bonheur paisible, sans agitation, sans peurs, sans inquiétudes, une vie au présent, une vie vécue dans le contentement du quotidien. Mais quand je dis «sans inquiétudes», cela ne veut pas dire qu'il ne m'arrivera pas de grandes épreuves. Cela veut dire que ma réaction à toutes les épreuves sera un OUI paisible, sans inquiétudes. Tout le monde est heurté par la vie, blessé par les autres, contredit, offensé, maltraité. Mais ce n'est pas cela qui compte. En effet, ce qui fait la différence entre nos vies, ce ne sont pas tellement les événements qui nous rencontrent, mais **notre façon de les rencontrer.** *À chaque jour suffit sa peine,* disait l'Évangile. Ne cherchons pas midi à quatorze heures, cherchons-le à midi. À chaque heure

154

suffit sa peine, à chaque heure suffit sa paix. Pour beaucoup, même «24 heures à la fois», c'est trop long. En réalité, on ne peut vivre qu'un instant à la fois. Peut-être serait-il plus sage de s'en tenir «au présent seulement».

Être un avec ce qui se passe maintenant, seulement maintenant (rien ne se passe hier et rien demain : passé/avenir sont inexistants, non vivants). Ce qui vit, ce qui est réel, ce qui est un **fait** – la seule chose qui existe et pour toujours –, c'est le présent. L'Éternité, c'est ce Présent qui est toujours là. Et Dieu, la Vie, la Grâce, la Joie, la Liberté, la Sérénité se trouvent au présent. **Cela ne se trouve qu'au présent, là où je suis.**

C'est le voyage à travers l'alcoolisme et le repêchage par la Grâce qui nous a amenés à la surface pour enfin respirer librement dans la Lumière. C'est un voyage vers le présent. Tout pointe vers le présent : toutes les erreurs passées doivent arriver au présent pour se dissoudre, tout le passé doit être ramené au présent : pardonné, accepté, accueilli, aimé au moment présent.

Et de son côté, tout le futur est dans la semence du présent. Il est donc futile de regarder vers l'avenir ou de se projeter dans un autre temps. C'est là une autre façon de fuir et nous connaissons bien ce petit manège : c'est ce que nous avons fait longtemps et intensément en cherchant un bonheur futur.

C'est dans le présent que se trouve la Sérénité. Tout le sens des douze étapes, tout le voyage spirituel que la Grâce nous fait parcourir, c'est un voyage vers la sérénité. Non seulement l'abstinence – c'était l'étape clé, mais seulement une étape –, le fond de tout cela, le cœur de notre vie et de notre être, c'est la SÉRÉNITÉ, la Présence de Dieu; cette Sérénité qui est venue par l'aveu d'impuissance, l'abandon total au Dieu «tel que nous Le concevions». La reconnaissance continuelle qui se manifeste dans une générosité continuelle.

Être serein, c'est être apaisé; c'est rentrer au bercail; c'est arrêter de lutter, rendre les armes, se rendre à Dieu, s'abandonner; c'est renoncer à mener, à contrôler, à comprendre, à savoir. C'est être vidé du Moi et rempli de l'Énergie divine; c'est être Son instrument et n'être que cela. Que Sa Volonté se fasse et que la mienne se perde dans la Sienne. «Voilà vraiment ce que je veux; voilà enfin ce que j'ai toujours voulu.»

Je dis OUI à tout, sans broncher, solidement ancré dans l'Être au fond de moi. Je ne veux rien pour moi et j'accepte tout ce que la Grâce m'enverra. Rien ne peut détruire cet Être. Cela ne dépend plus de moi. Ma vie ne m'appartient pas, ne m'appartient plus. Tout devient simple et transparent. C'est la Sérénité de Dieu qui vit en moi, qui vit ma vie.

Seigneur, prenez tout ce que je suis, tout ce que je possède : mon intelligence, ma volonté, ma mémoire. Donnez-moi seulement votre grâce, cela me suffit.

(Prière de saint Ignace de Loyola).

Transcontinental
IMPRESSION
IMPRIMERIE GAGNÉ